目次

世界のクワガタムシ

世界のクワガタムシ

クワガタムシ科の甲虫はコガネムシに近いグループで、アジア、アフリカ、ヨーロッパ、南北アメリカ、オーストラリアなど世界に広く分布しています。2010年に出版された「世界のクワガタムシ大図鑑」（むし社）では1414種のクワガタムシが紹介されていますが、この本に収録されなかった種類も多く、まだ毎年のように新種が見つかってことから、世界には2000種類近い種類のクワガタムシがいるものと思われます。

▶オオクワガタの仲間

日本のクワガタムシの中でもっとも人気のあるオオクワガタは，昼間はクヌギなどの大木の洞に隠れていてなかなか見ることができません。この仲間は，東南アジアに広く分布していて，インドにいるグランディスオオクワガタは最大で9センチを超えることがあります。

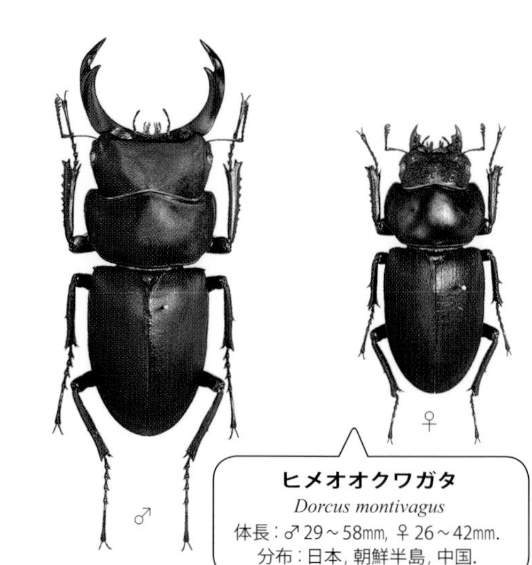

ヒメオオクワガタ
Dorcus montivagus
体長：♂29～58㎜，♀26～42㎜．
分布：日本，朝鮮半島，中国．

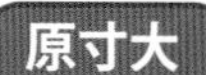

♀

原寸大

グランディスオオクワガタ
Dorcus grandis
体長：36～91㎜，♀32～54㎜．
分布：台湾，インドシナ，インド．

オオクワガタ
Dorcus hopei
体長：♂27～78㎜，♀25～47㎜．
分布：日本，朝鮮半島，中国．

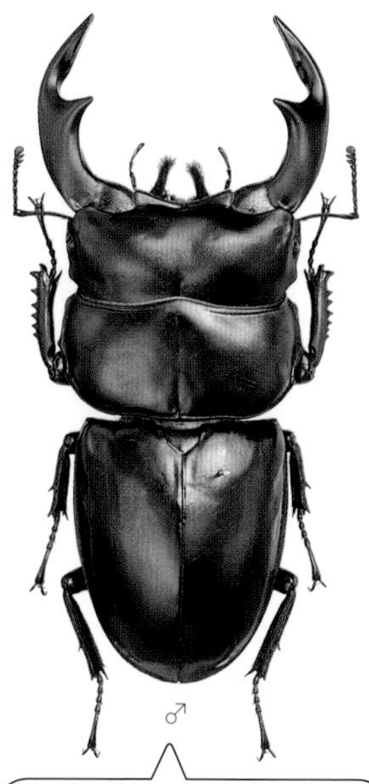

アンタエウスオオクワガタ
Dorcus antaeus
体長：♂33～89㎜, ♀31～48㎜.
分布：インドシナ, インド.

カミジョウオオクワガタ
Dorcus kamijoi
体長：♂39～75㎜, ♀37～46㎜.
分布：ベトナム.

タイリクツノボソオオクワガタ
Dorcus tonkinensis
体長：♂23～60㎜, ♀23～34㎜.
分布：中国, インドシナ, インド.

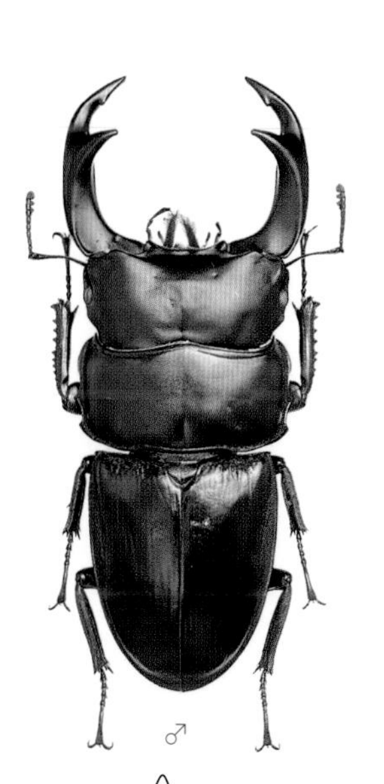

クルビデンスオオクワガタ
Dorcus curvidens
体長：♂30～82㎜, ♀27～42㎜.
分布：インドシナ, インド.

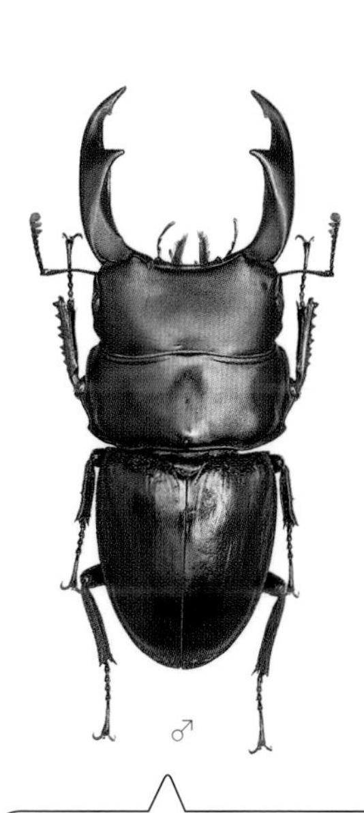

パリーオオクワガタ
Dorcus ritsemae
体長：28～79㎜, ♀29～41㎜.
分布：インドシナ, インドネシア, フィリピン.

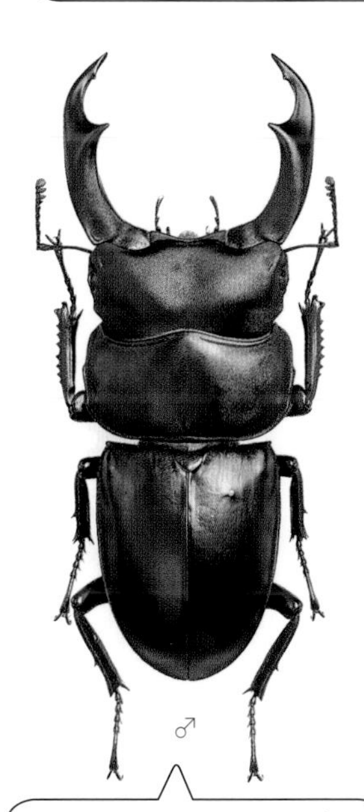

シェンクリンオオクワガタ
Dorcus schenklingi
体長：♂33～84㎜, ♀33～48㎜
分布：台湾.

▶ヒラタクワガタの仲間

ヒラタクワガタの仲間も東南アジアに広く分布していて，棲む場所によって大きさや形が変わる種類が少なくありません。日本では最大でも8センチほどのヒラタクワガタも，フィリピンのパラワン島という島ではなんと11センチを越えるものが記録されています。

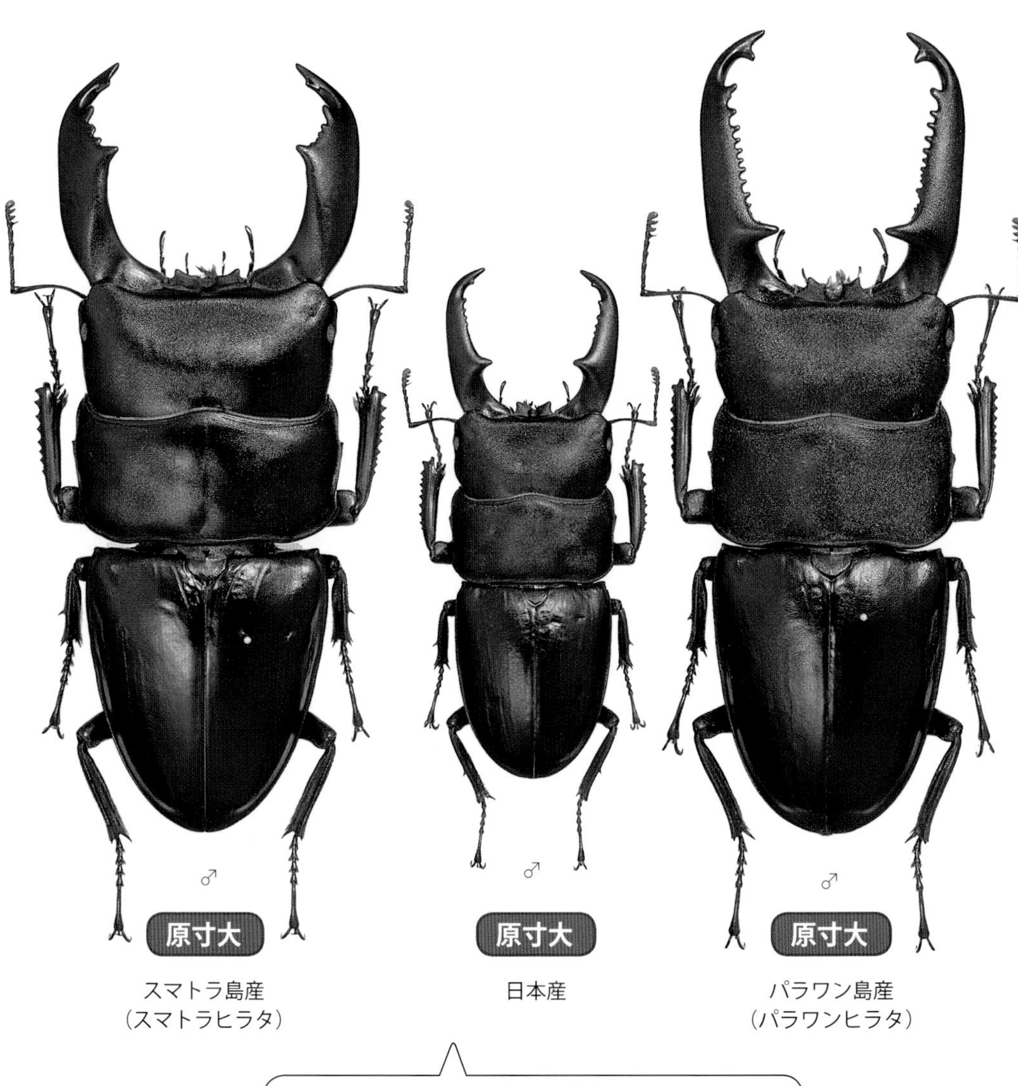

スマトラ島産（スマトラヒラタ）

日本産

パラワン島産（パラワンヒラタ）

ヒラタクワガタ
Dorcus titanus
体長：♂18～110㎜, ♀21～52㎜.
分布：日本, 中国, インドシナ, インド, インドネシア, フィリピン.

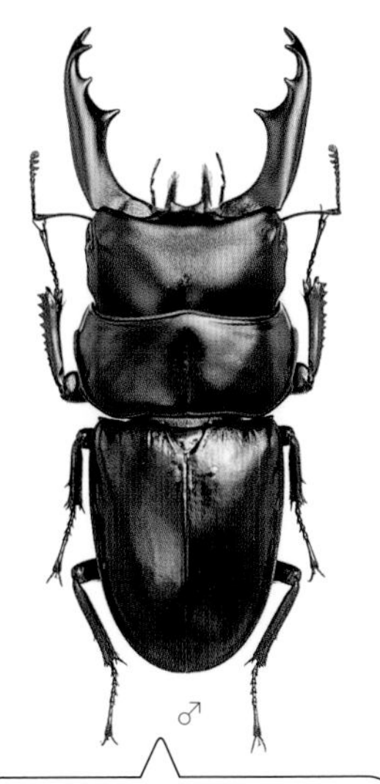

ティティウスヒラタクワガタ
Dorcus tityus
体長：♂30～78mm, ♀24～33mm.
分布：中国, インドシナ, インド.

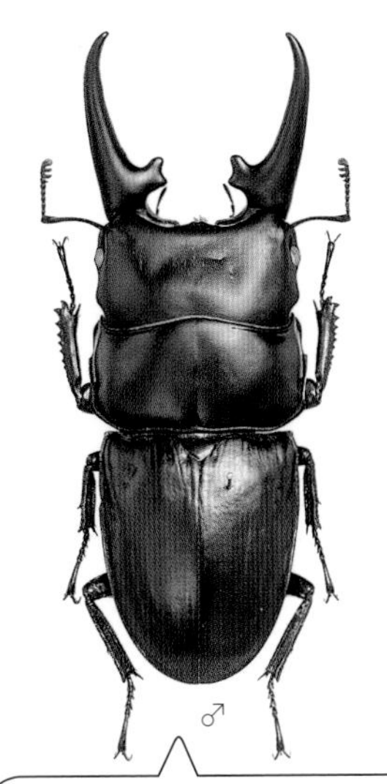

ヒペリオンヒラタクワガタ
Dorcus hyperion
体長：♂29～73mm, ♀29～32mm.
分布：ミャンマー, インド.

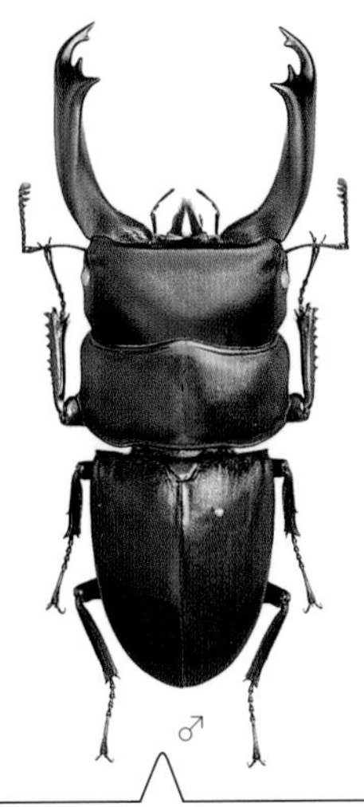

ライヒヒラタクワガタ
Dorcus reichei
体長：♂18～65mm, ♀20～30mm.
分布：台湾, 中国, インドシナ, インド, インドネシア.

ダイオウヒラタクワガタ
Dorcus bucephalus
体長：♂51～90mm, ♀40～49mm.
分布：ジャワ島（インドネシア）.

アルキデスヒラタクワガタ
Dorcus alcides
体長：♂33～104mm, ♀38～48mm.
分布：スマトラ島（インドネシア）.

パプアヒラタクワガタ
Dorcus arfakianus
体長：♂20～62mm, ♀18～26mm.
分布：ニューギニア.

▶コクワガタの仲間

コクワガタの仲間は，ヒラタクワガタの仲間と共にオオクワガタの仲間に近く，日本のオオクワガタとコクワガタの間で雑種が発見されたこともあります。東南アジアには美しい色の種類や大型の種類が多く，ネパールコクワガタの最大個体は8センチ近くもあります。

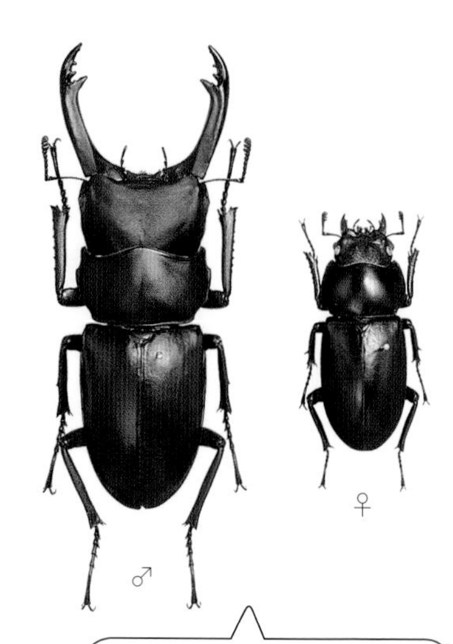

アカアシクワガタ
Dorcus rubrofemoratus
体長：♂23～58mm，♀24～38mm.
分布：日本，朝鮮半島，中国，ロシア.

♂
原寸大

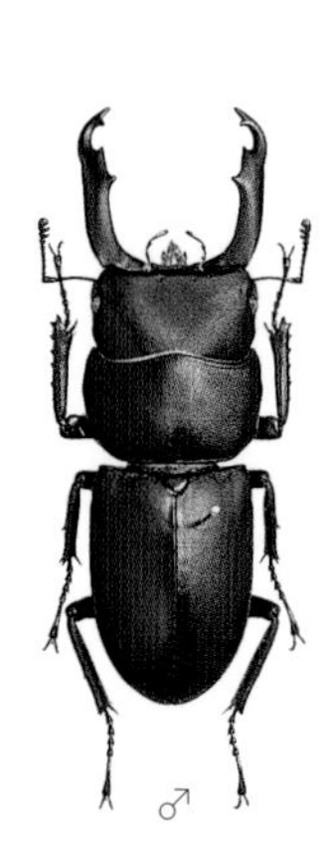

ネパールコクワガタ
Dorcus nepalensis
体長：♂45～79mm，♀39～47mm.
分布：インド，ネパール.

コクワガタ
Dorcus rectus
体長：♂17～54mm，♀21～31mm.
分布：日本，台湾，朝鮮半島，中国.

スジクワガタ
Dorcus striatipennis
体長：♂15～40mm，♀14～24mm
分布：日本，台湾，朝鮮半島，中国

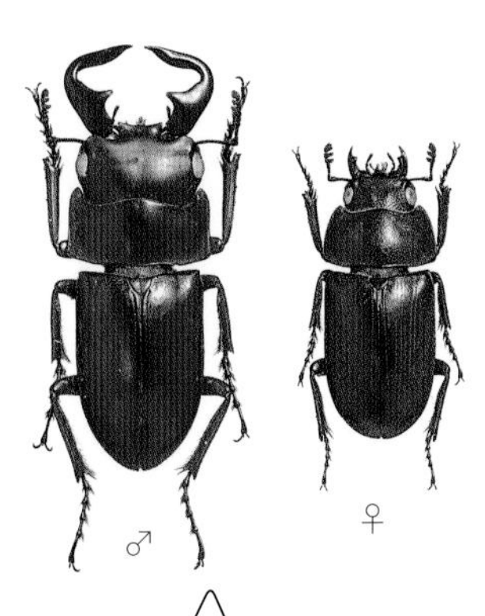

グラウトコクワガタ
Dorcus groulti
体長：♂14～24㎜, ♀14～17㎜.
分布：タイ, ミャンマー, インド.

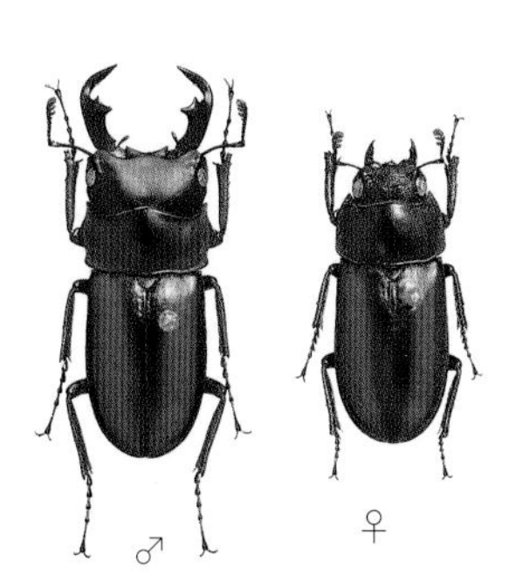

エレガントゥルスコクワガタ
Dorcus elegantulus
体長：♂14～30㎜, ♀16～18㎜.
分布：ミャンマー, インドシナ, インドネシア, フィリピン.

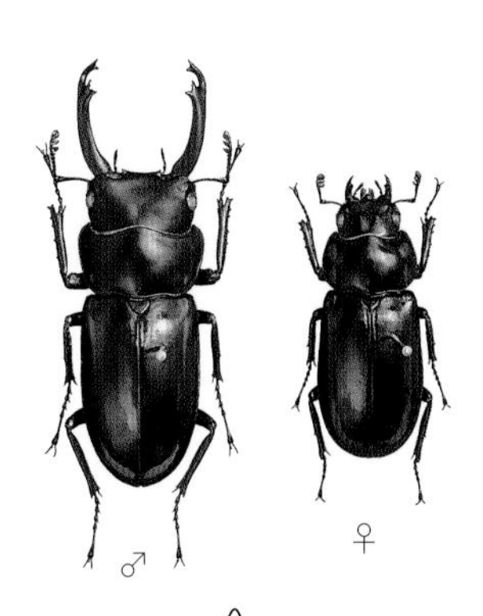

フルボノタトゥスコクワガタ
Dorcus fulvonotatus
体長：♂19～31㎜, ♀20～21㎜.
分布：インド, ネパール, ブータン.

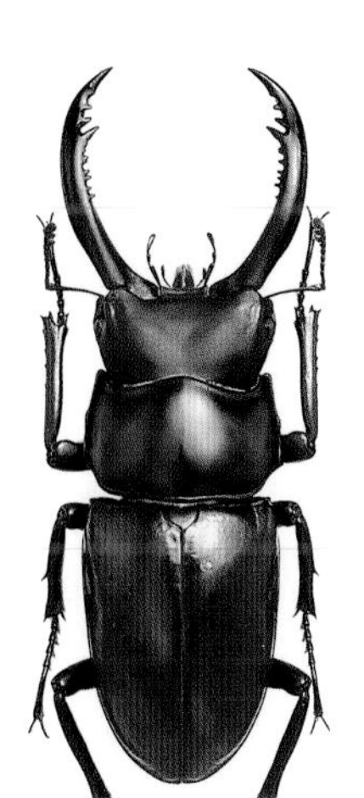

マグダレインコクワガタ
Dorcus magdeleinae
体長：♂33～72㎜, ♀32～41㎜.
分布：インドシナ, ミャンマー.

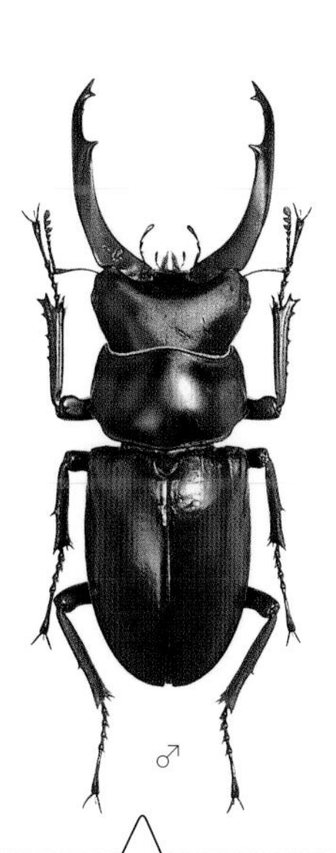

マクレイコクワガタ
Dorcus macleayii
体長：♂42～62㎜, ♀29～40㎜.
分布：インド.

ドンキエルコクワガタ
Dorcus donckieri
体長：♂45～80㎜, ♀41～46㎜
分布：インド, ネパール, ミャンマー.

▶ミヤマクワガタの仲間

オオクワガタの仲間ともに人気の高いミヤマクワガタの仲間は，日本には3種類しかいませんが，世界では100種類近くが知られています。ヒマラヤの高山帯にはオスでも大あごがごく小さい特異な種類がいて，中国やミャンマーの高山帯ではミヤマクワガタの仲間に近い原始的な種類が発見されました。

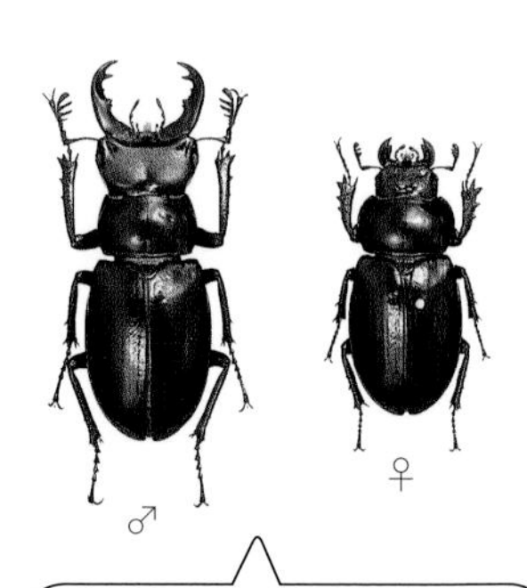

ミクラミヤマクワガタ
Lucanus gamunus
体長：♂23～34mm，♀25～26mm.
分布：日本（伊豆諸島）.

ヨーロッパミヤマクワガタ（トルコ産）
Lucanus cervus akubesianus
体長：♂38～100mm，♀37～41mm.
分布：ヨーロッパ，トルコ，シリア，イラン.

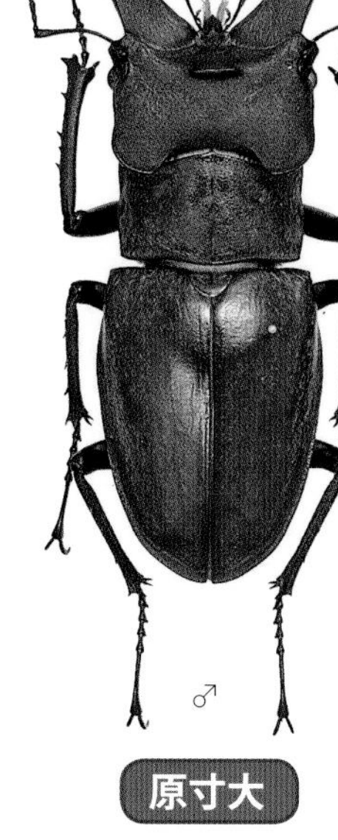

ミヤマクワガタ
Lucanus maculifemoratus
体長：♂31～87mm，♀25～50mm.
分布：日本，台湾，朝鮮半島，中国，ロシア

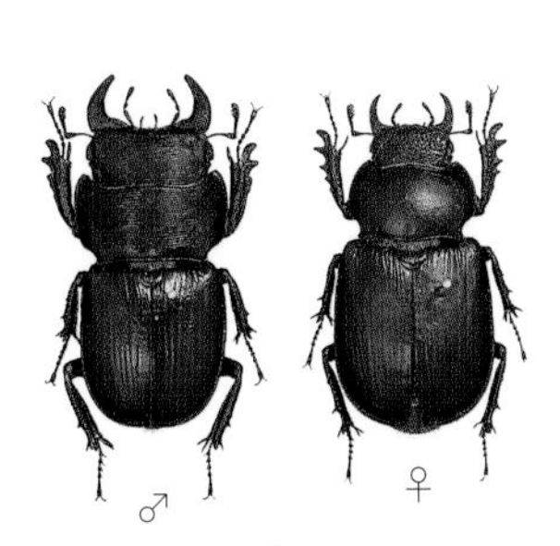

ゲンシミヤマクワガタ
Noseolucanus denticulus
体長：♂19～27mm，♀21～25mm.
分布：中国，ミャンマー.

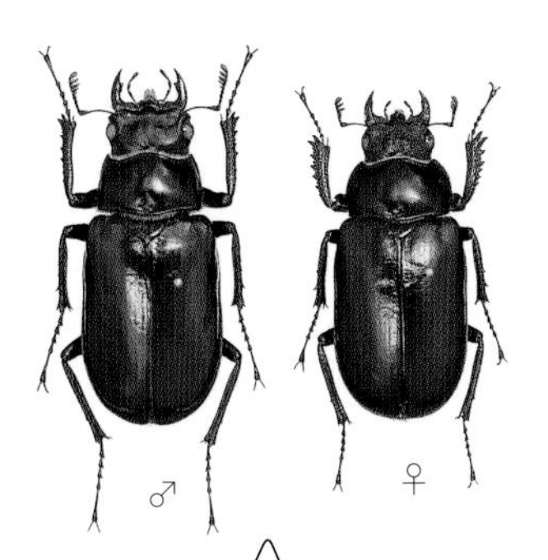

グラキリスミヤマクワガタ
Lucanus gracilis
体長：♂27～33mm，♀28～31mm.
分布：インド，ネパール.

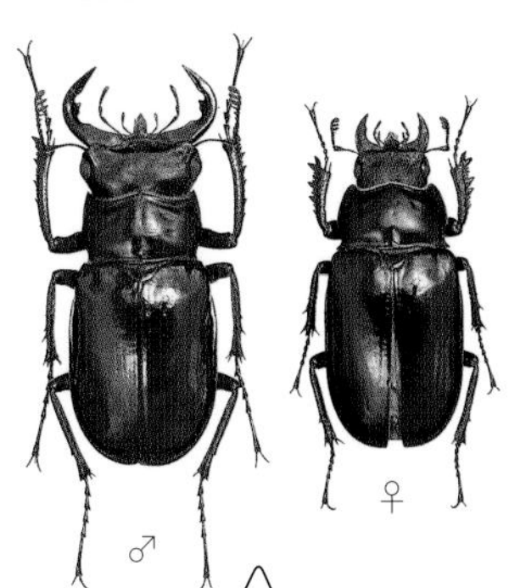

レスネミヤマクワガタ
Lucanus lesnei
体長：♂28～35mm，♀30～33mm.
分布：ミャンマー.

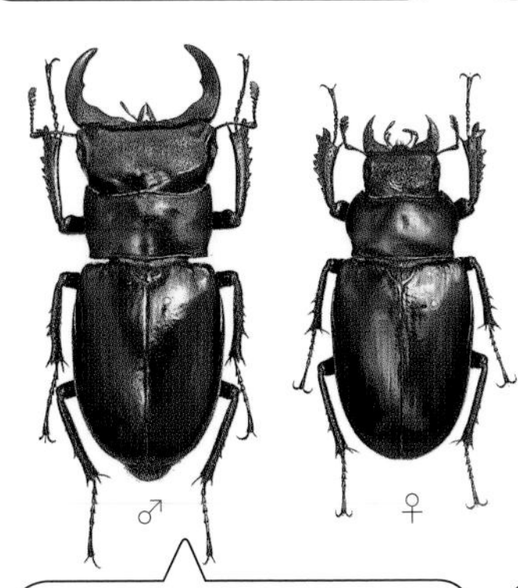

オーベルチュールミヤマクワガタ
Lucanus oberthueri
体長：♂27～40mm，♀28～32mm.
分布：インド，ネパール.

コンフススミヤマクワガタ
Lucanus confusus
体長：♂25～41mm，♀28mm.
分布：インド，アッサム.

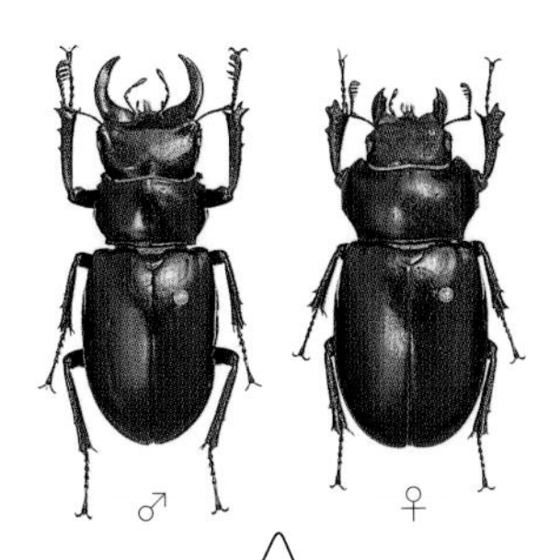

ウィットマーミヤマクワガタ
Lucanus wittmeri
体長：♂27～33mm，♀28～30mm.
分布：インド，パキスタン.

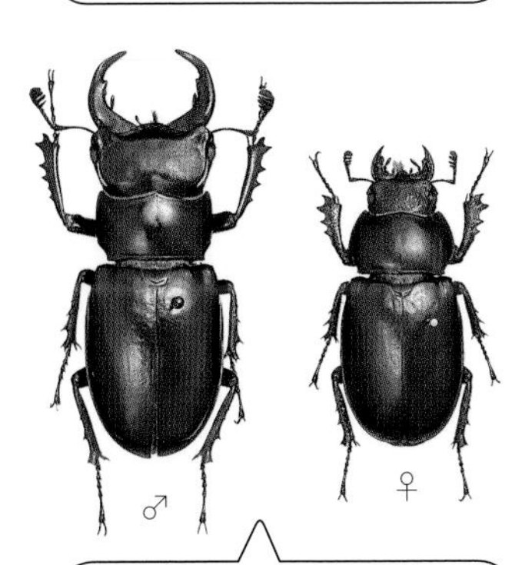

カプレオルスミヤマクワガタ
Lucanus capreolus
体長：♂27～42mm，♀28～34mm.
分布：アメリカ.

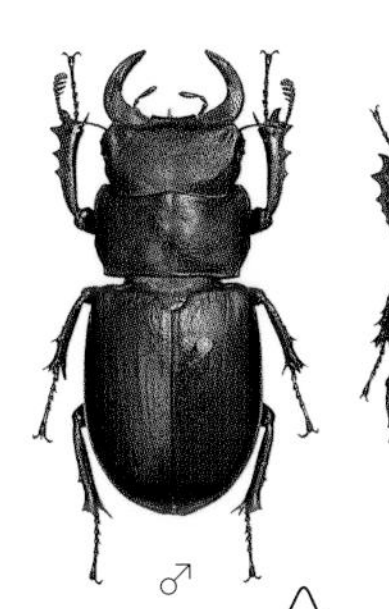

マザマミヤマクワガタ
Lucanus mazama
体長：♂27～37mm，♀31～32mm.
分布：アメリカ.

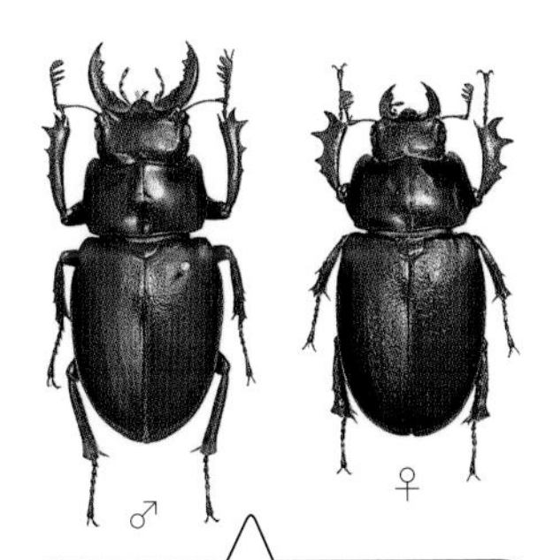

プラキドゥスミヤマクワガタ
Lucanus placidus
体長：♂26～36mm，♀30～32mm.
分布：アメリカ，カナダ.

■ミヤマクワガタの仲間

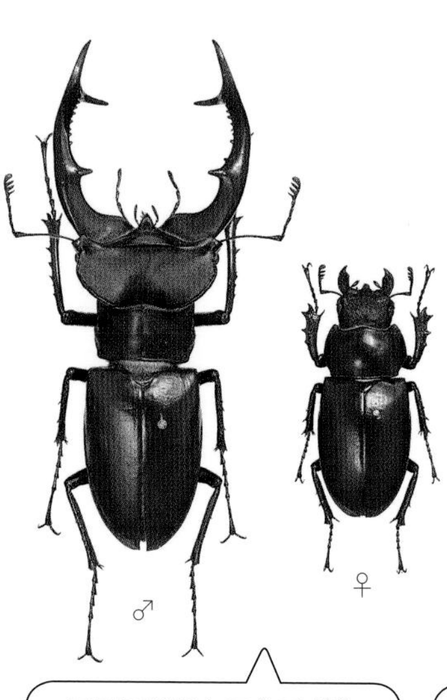

エラフスミヤマクワガタ
Lucanus elaphus
体長：♂38～65mm, ♀19～30mm.
分布：アメリカ.

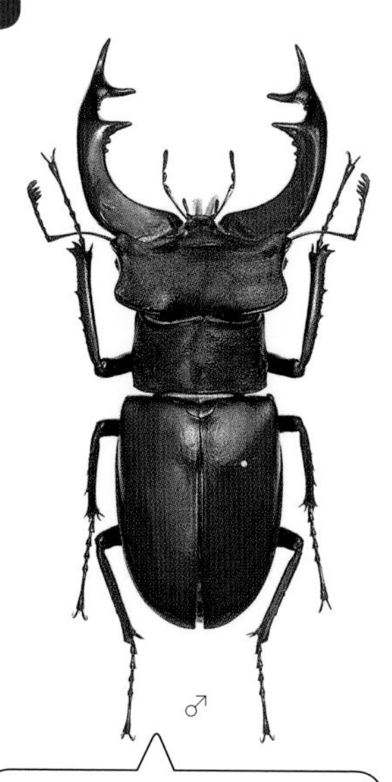

ヨーロッパミヤマクワガタ
（ロシア産） *Lucanus cervus*
体長：♂37～100mm, ♀35～50mm.
分布：ヨーロッパ, トルコ, シリア, イラン.

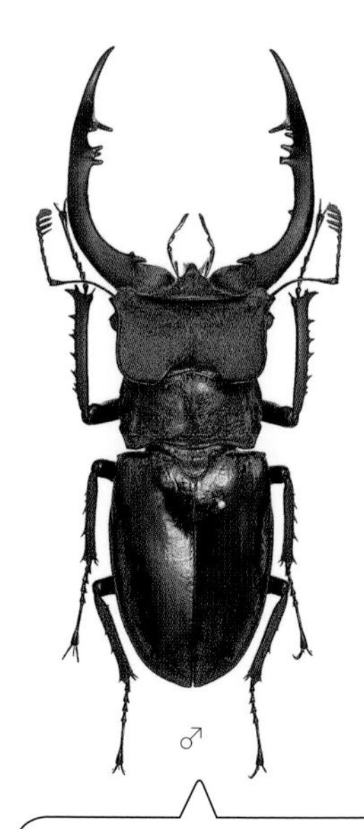

メアレーミヤマクワガタ
Lucanus mearesii
体長：♂32～77mm, ♀30～37mm.
分布：インド, ネパール, ブータン.

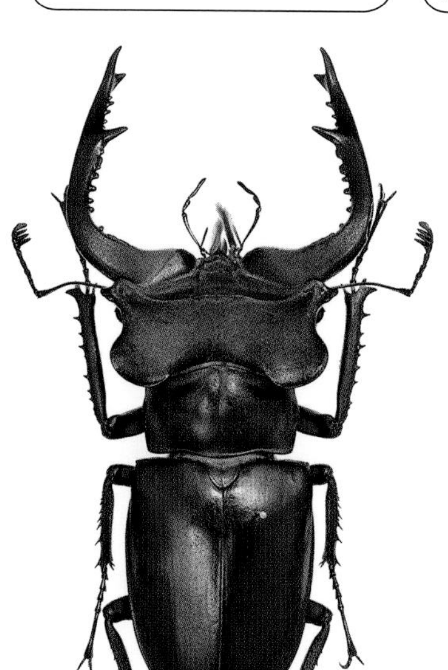

カンターミヤマクワガタ
Lucanus cantori
体長：♂43～90mm, ♀39～45mm.
分布：インド, ブータン, ミャンマー.

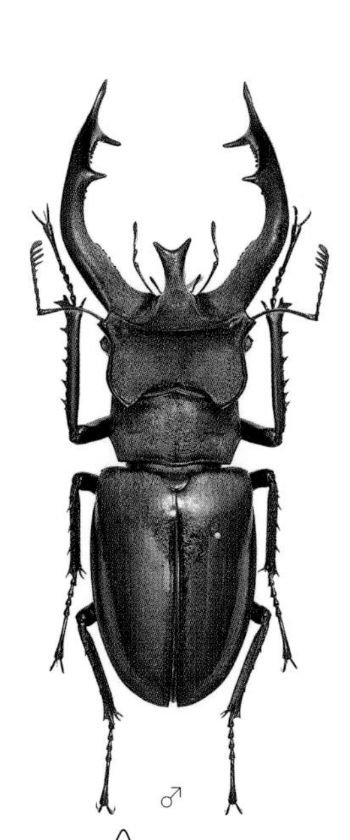

チベットミヤマクワガタ
Lucanus tibetanus
体長：♂37～82mm, ♀31～42mm.
分布：中国, インドシナ, ミャンマー.

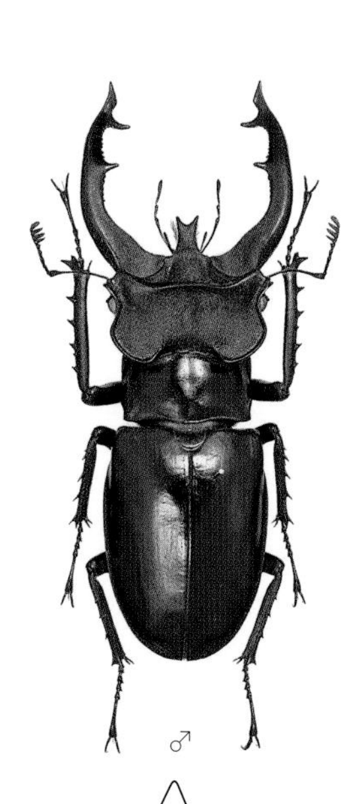

フライミヤマクワガタ
Lucanus fryi
体長：♂37～76mm, ♀31～44mm.
分布：中国, インドシナ, インド.

クリイロミヤマクワガタ
Lucanus kanoi
体長：♂39～65mm，♀25～43mm.
分布：台湾.

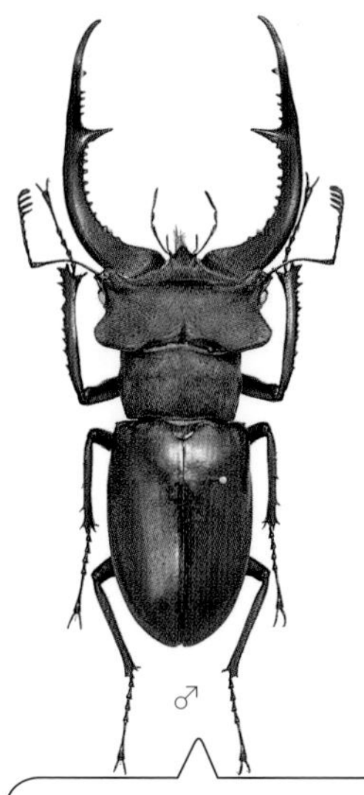

クラーツミヤマクワガタ
Lucanus kraatzi
体長：♂35～71mm，♀29～38mm.
分布：中国，ベトナム.

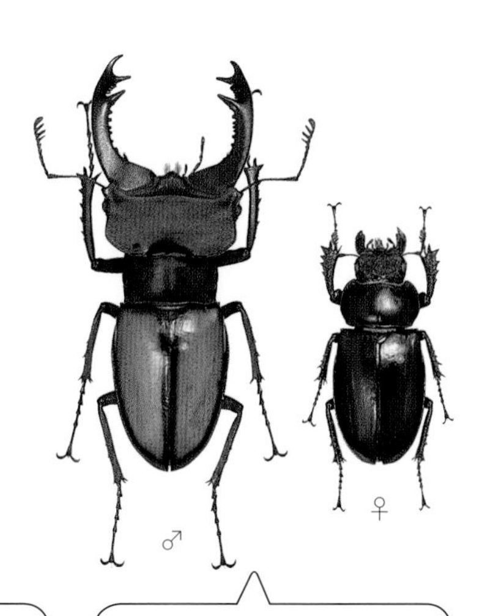

ラエトゥスミヤマクワガタ
Lucanus laetus
体長：♂30～53mm，♀30mm.
分布：中国.

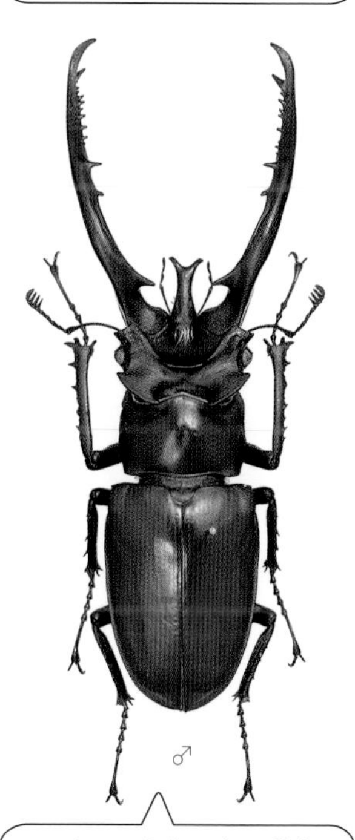

ヘルマンミヤマクワガタ
Lucanus hermani
体長：♂49～94mm，♀36mm.
分布：中国.

プラネットミヤマクワガタ
Lucanus planeti
体長：♂41～91mm，♀32～41mm.
分布：中国，ベトナム.

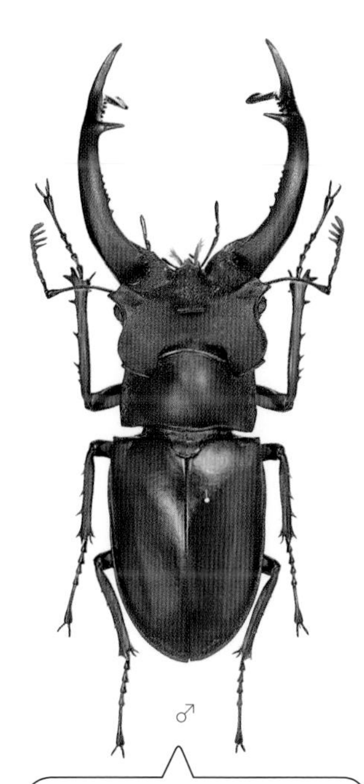

ドンミヤマクワガタ
Lucanus dongi
体長：♂54～82mm，♀33～42mm.
分布：ベトナム.

▶マルバネクワガタの仲間

マルバネクワガタの仲間は日本に4種類いて，世界では60種類近くが知られています。

ヤエヤママルバネクワガタ
Neolucanus insulicola
体長：♂32～69㎜，♀38～57㎜.
分布：日本（八重山諸島）.

サンダースマルバネクワガタ
Neolucanus saundersii
体長：♂50～65㎜，♀42㎜.
分布：インド，ミャンマー.

バラデバマルバネクワガタ
Neolucanus baladeva
体長：♂35～66㎜，♀37～51㎜.
分布：中国，インド，ミャンマー.

マキシムスマルバネクワガタ
Neolucanus maximus
体長：♂39～74㎜，♀42～56㎜.
分布：台湾，中国，インドシナ，インド.

マエダマルバネクワガタ
Neolucanus maedai
体長：♂55～73㎜，♀50～57㎜.
分布：タイ.

ペラルマトゥスマルバネクワガタ
Neolucanus perarmatus
体長：♂46～80㎜，♀45～56㎜.
分布：中国，インドシナ.

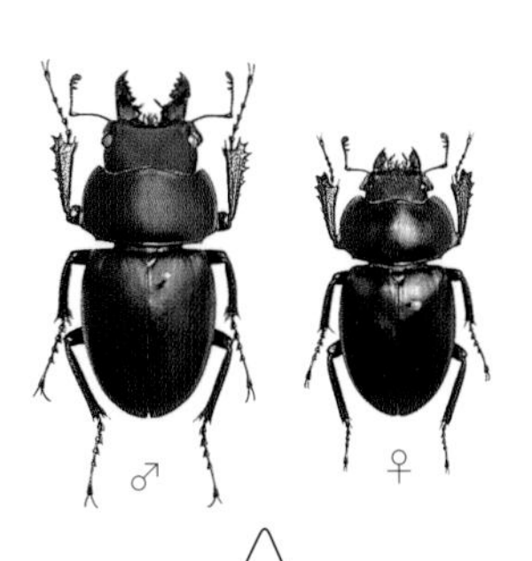

サラウトマルバネクワガタ
Neolucanus sarrauti
体長：♂ 19～29mm, ♀ 19mm.
分布：ベトナム, カンボジア.

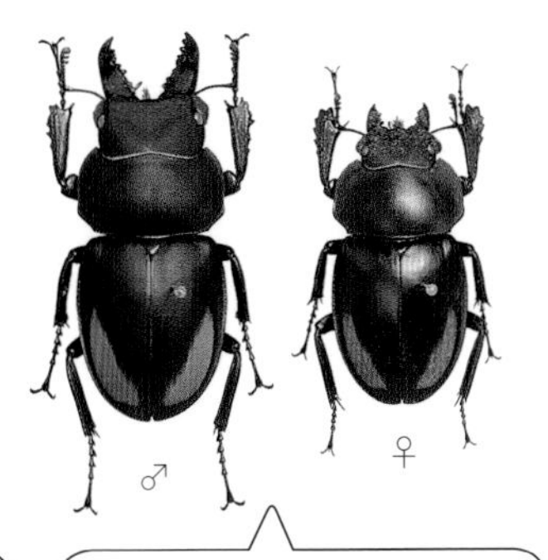

チュウゴクマルバネクワガタ
Neolucanus sinicus
体長：♂ 22～43mm, ♀ 24～32mm.
分布：中国, インドシナ, ミャンマー.

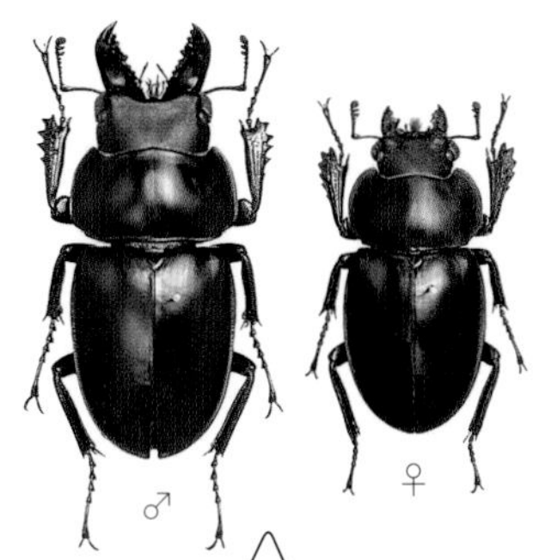

イイジママルバネクワガタ
Neolucanus iijimai
体長：♂ 40～45mm, ♀ 36mm.
分布：ベトナム.

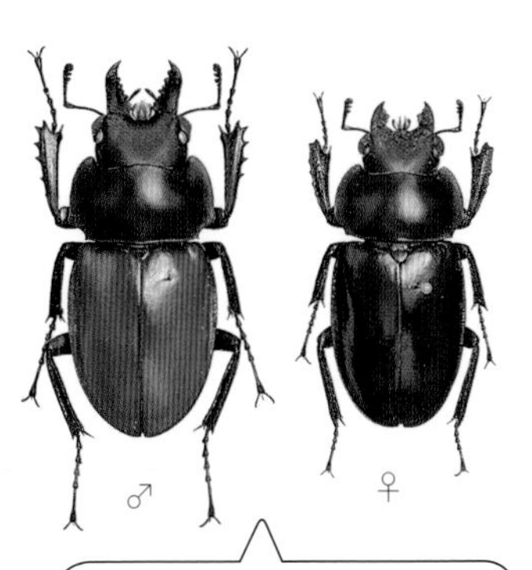

ドロマルバネクワガタ
Neolucanus doro
体長：♂ 23～42mm, ♀ 27～40mm.
分布：台湾.

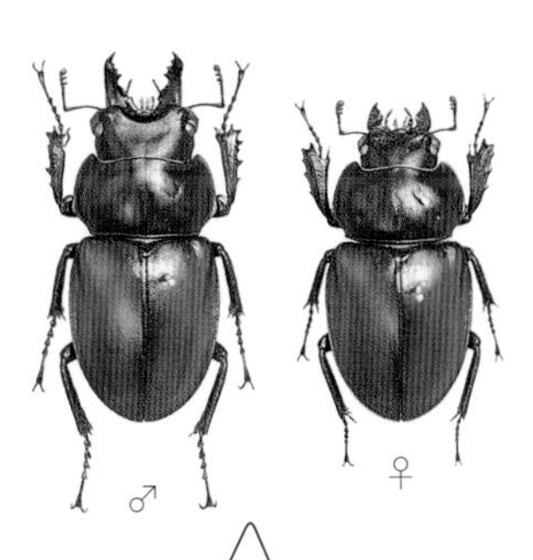

チャイロマルバネクワガタ
Neolucanus insularis
体長：♂ 20～36mm, ♀ 20～29mm.
分布：日本（八重山諸島）.

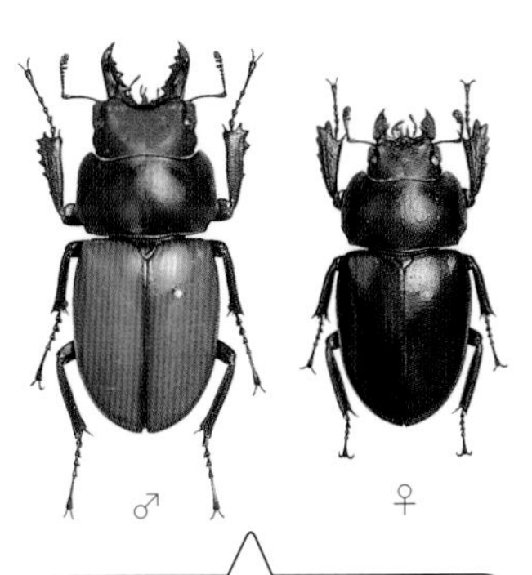

ビキヌスマルバネクワガタ
Neolucanus vicinus
体長：♂ 29～37mm, ♀ 28～32mm.
分布：ベトナム.

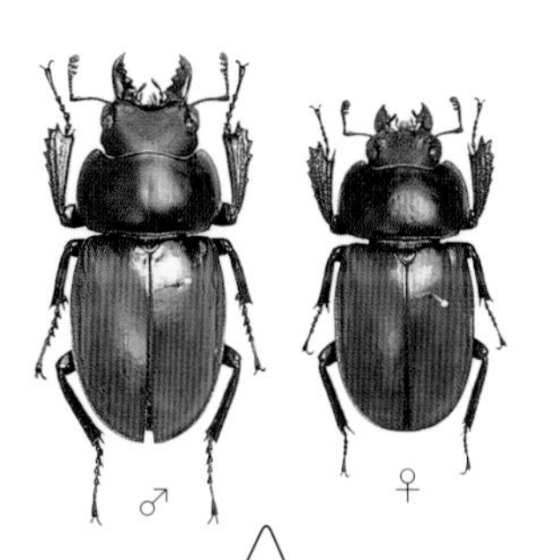

カスタノプテルスマルバネクワガタ
Neolucanus castanopterus
体長：♂ 26～46mm, ♀ 28～38mm.
分布：中国, インドシナ, インド.

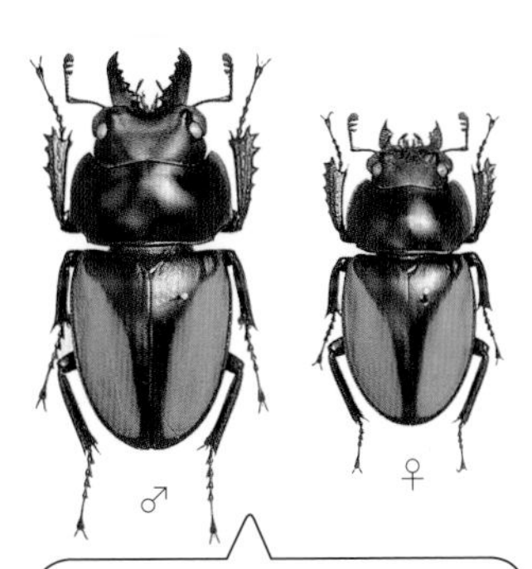

ラトゥスマルバネクワガタ
Neolucanus latus
体長：♂ 26～38mm, ♀ 24～34mm.
分布：インドシナ, ミャンマー, インド.

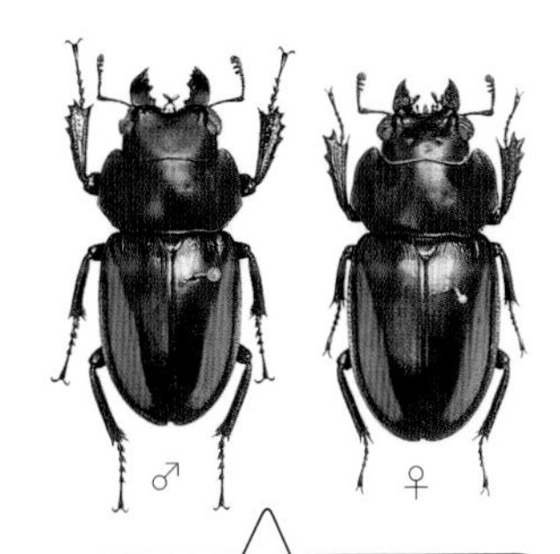

キングラトゥスマルバネクワガタ
Neolucanus cingulatus
体長：♂ 21～31mm, ♀ 23～31mm.
分布：マレー半島, インドネシア.

▶ツヤクワガタの仲間

ツヤクワガタの仲間は東南アジアの熱帯地域に多く，日本には分布していません。大型で色が美しい種類が多く，約70種類が知られています。

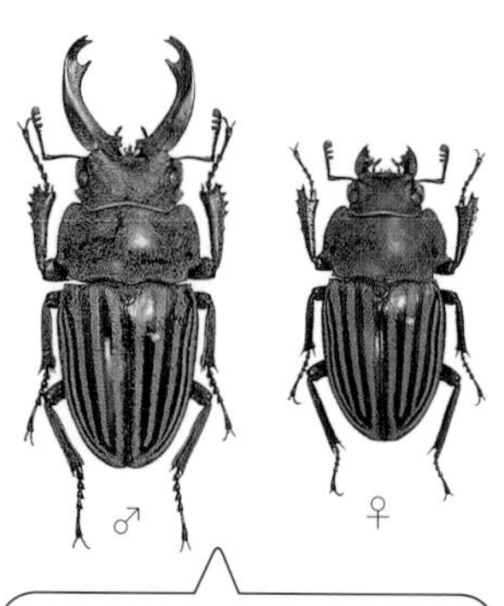

ストリアータツヤクワガタ
Odontolabis striata
体長：♂25～53mm，♀23～33mm.
分布：マレー半島，インドネシア.

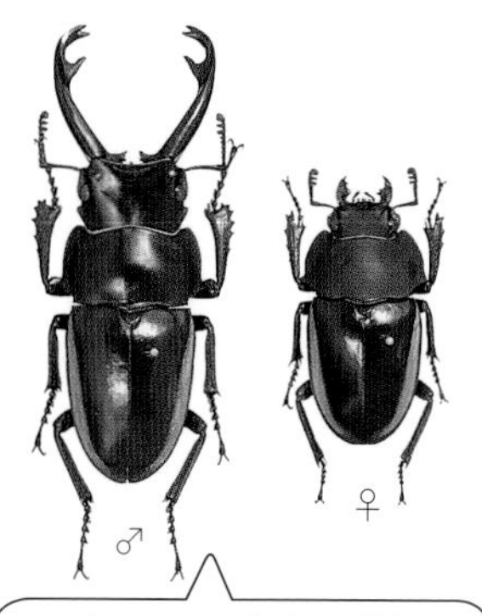

リツェマツヤクワガタ
Odontolabis ritsemae
体長：♂26～43mm，♀23～25mm.
分布：マレー半島，スマトラ島.

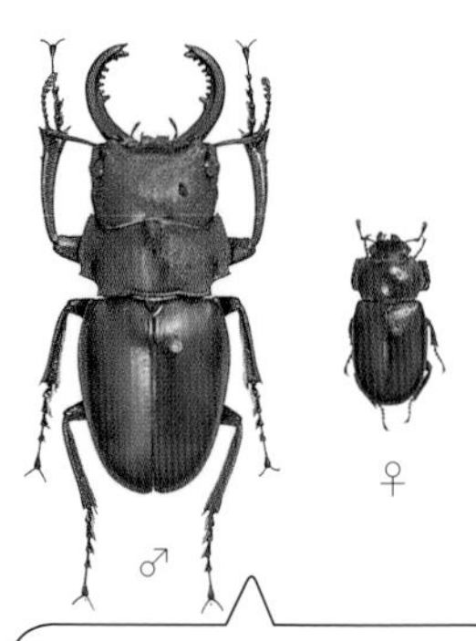

コツヤクワガタ
Calcodes aeratus
体長：♂10～34mm，♀14～19mm.
分布：マレー半島，インドネシア.

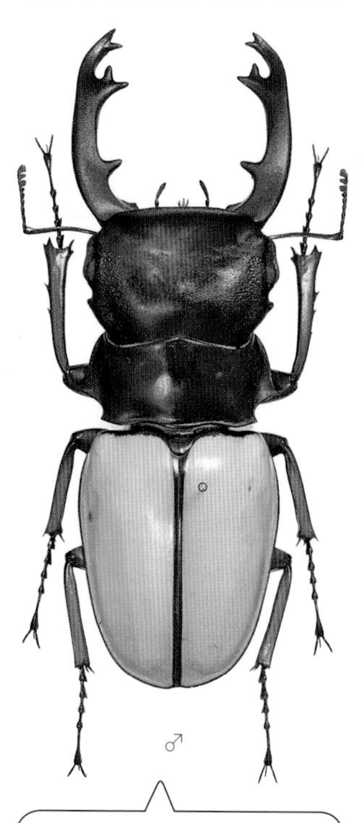

フェモラリスツヤクワガタ
Odontolabis femoralis
体長：♂51～97mm，♀42～52mm.
分布：マレー半島，ボルネオ島.

ブルマイスターツヤクワガタ
Odontolabis burmeisteri
体長：♂57～105mm，♀38～54mm.
分布：インド.

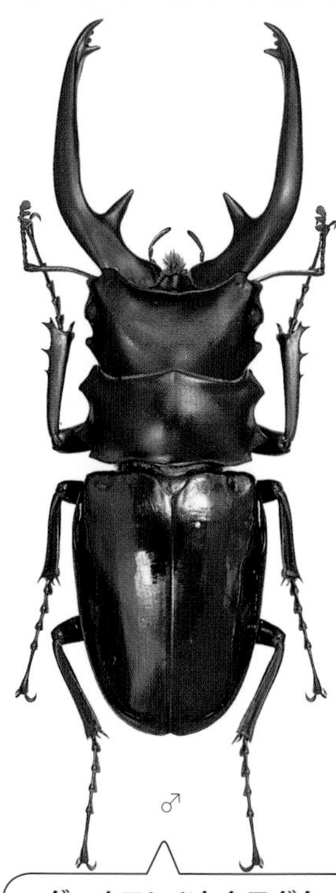

ダールマンツヤクワガタ
Odontolabis dalmanni
体長：♂39～107mm，♀36～53mm.
分布：インドシナ，インドネシア，フィリピン.

♂

リュートネルツヤクワガタ
Odontolabis leuthneri
体長：♂39～78mm, ♀33～37mm.
分布：ボルネオ島.

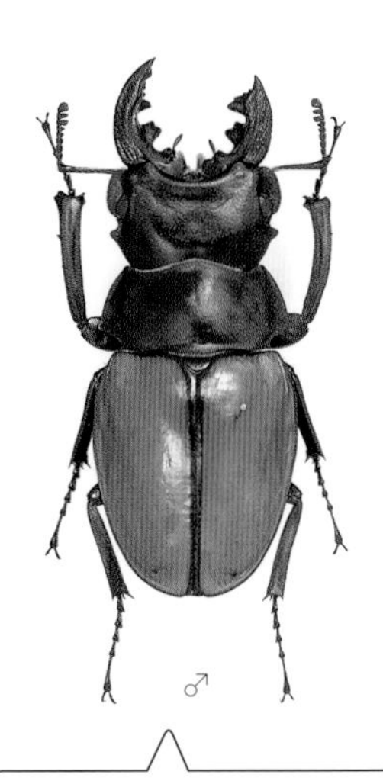

♂

ガゼラツヤクワガタ
Odontolabis gazella
体長：♂37～65mm, ♀35～45mm.
分布：インドシナ, インドネシア.

♂

キプルツヤクワガタ
Odontolabis cypri
体長：♂35～68mm, ♀30～36mm.
分布：ボルネオ島.

♂

スチーブンスツヤクワガタ
Odontolabis stevensi
体長：♂42～91mm, ♀38～47mm.
分布：スラウェシ島.

♂

ラコルデールツヤクワガタ
Odontolabis lacordairei
体長：♂44～90mm, ♀41～49mm.
分布：スマトラ島.

♂

クベラツヤクワガタ
Odontolabis cuvera
体長：♂38～92mm, ♀32～51mm.
分布：中国, インドシナ, インド.

▶ホソアカクワガタの仲間

ホソアカクワガタの仲間も東南アジアの熱帯地域に多く，日本には分布していません。60種類以上が知られており，最大種のエラフスホソアカクワガタは非常に美しい種類です。

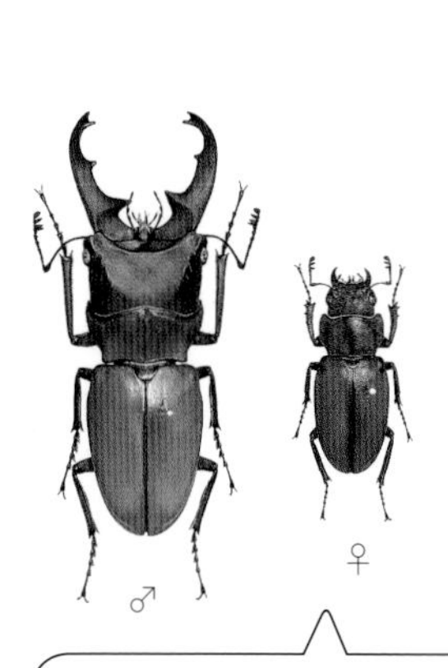

ホソアカクワガタ
Cyclommatus scutellaris
体長：♂18～45mm, ♀15～22mm.
分布：台湾.

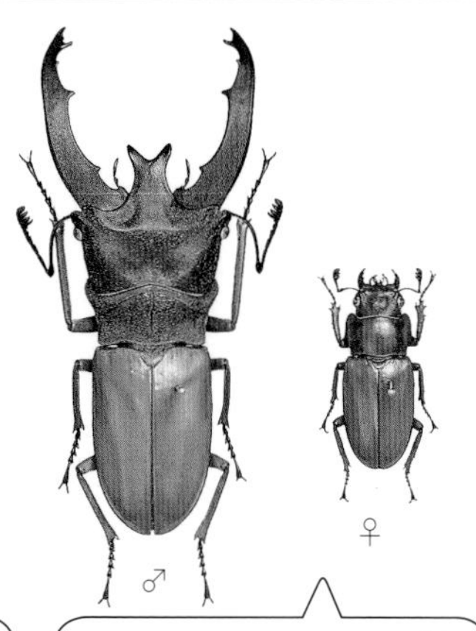

ルニフェルホソアカクワガタ
Cyclommatus lunifer
体長：♂29～53mm, ♀23～24mm.
分布：マレー半島，インドネシア.

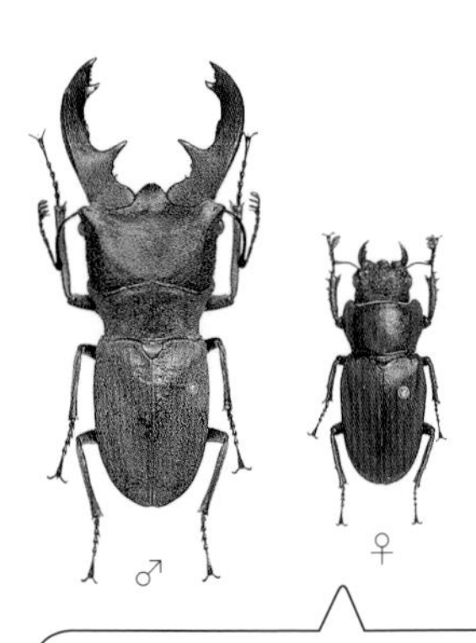

ファウニコロールホソアカクワガタ
Cyclommatus faunicolor
体長：♂30～44mm, ♀20～21mm.
分布：インドネシア（ニアス島）.

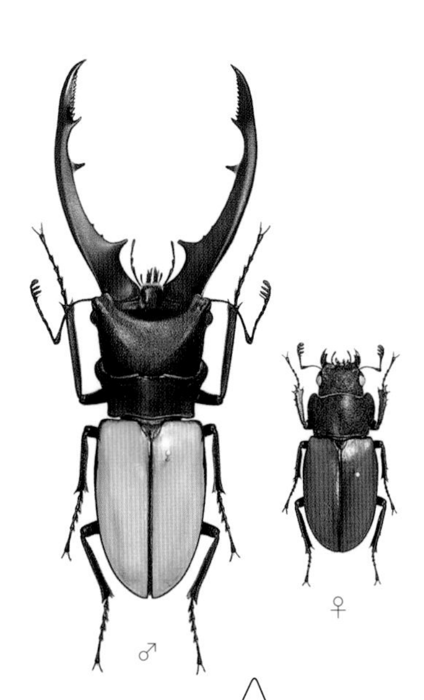

モンタネルスホソアカクワガタ
Cyclommatus montanellus
体長：♂24～79mm, ♀23～29mm.
分布：ボルネオ島.

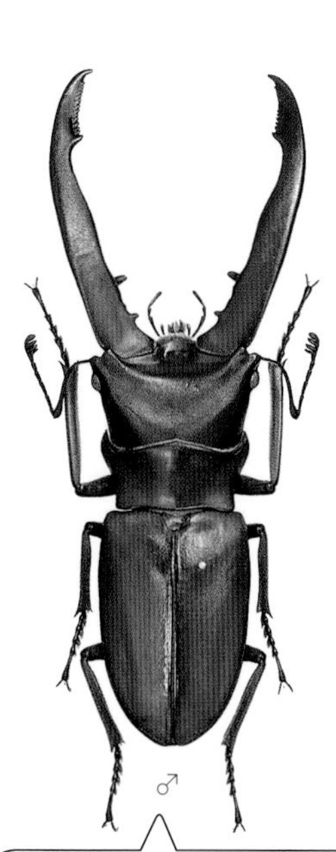

ギラファホソアカクワガタ
Cyclommatus giraffa
体長：♂30～78mm, ♀26～29mm.
分布：ボルネオ島.

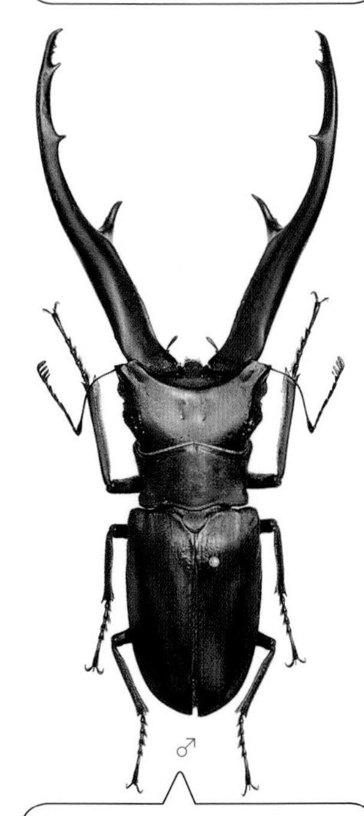

インペラトールホソアカクワガタ
Cyclommatus imperator
体長：♂30～94mm, ♀27～28mm.
分布：ニューギニア.

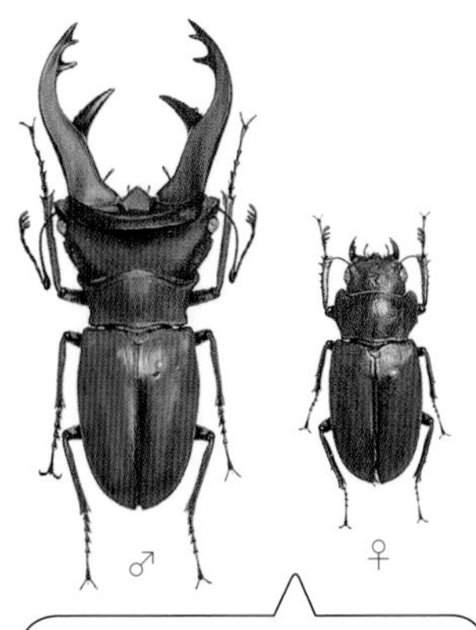

カウプホソアカクワガタ
Cyclommatus kaupi
体長：♂28～55㎜.
分布：ニューギニア.

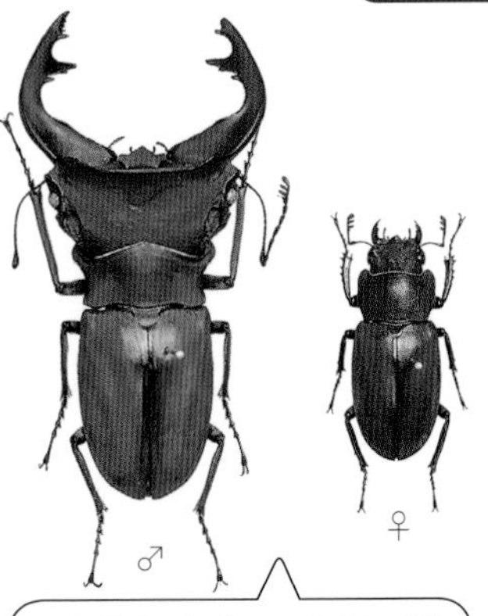

マルガリータホソアカクワガタ
Cyclommatus margaritae
体長：♂27～54㎜, ♀21～24㎜.
分布：ニューギニア.

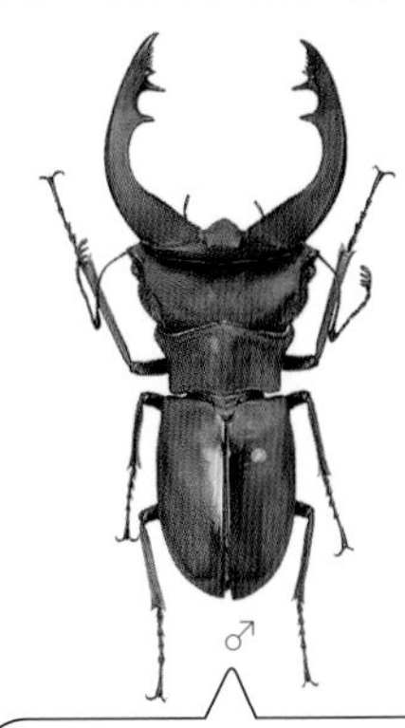

スペキオススホソアカクワガタ
Cyclommatus speciosus
体長：♂28～59㎜, ♀22～23㎜.
分布：ソロモン諸島.

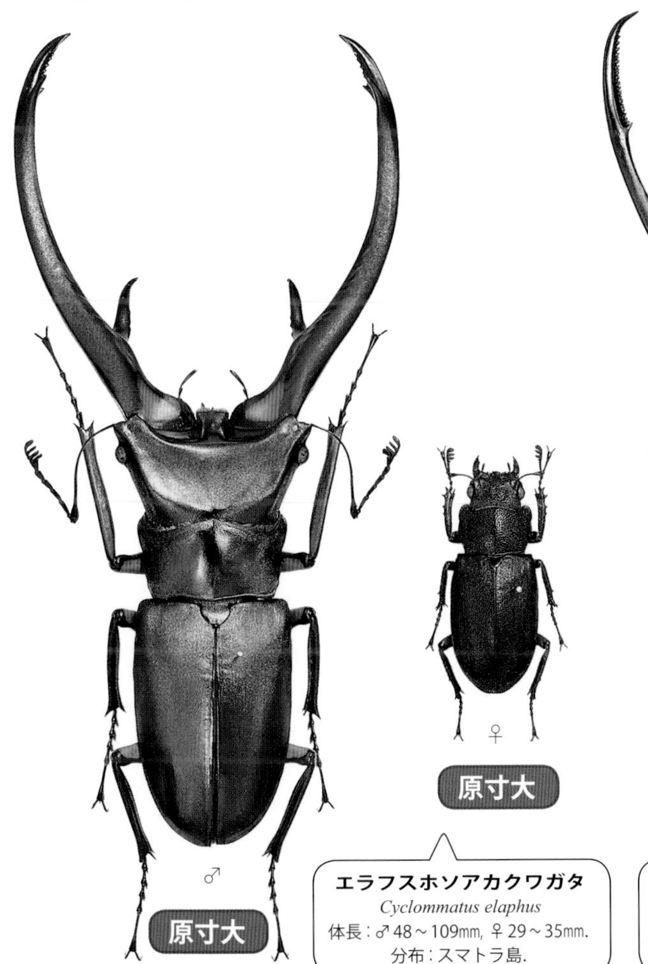

エラフスホソアカクワガタ
Cyclommatus elaphus
体長：♂48～109㎜, ♀29～35㎜.
分布：スマトラ島.

原寸大

♂

メタリフェルホソアカクワガタ
Cyclommatus metallifer
体長：♂26～100㎜, ♀22～28㎜.
分布：スラウェシ島周辺.

▶オウゴンオニクワガタの仲間など

オウゴンオニクワガタの仲間は東南アジアに2種類が知られているだけの珍しいクワガタムシで，名前のとおりに全体が黄金色です。

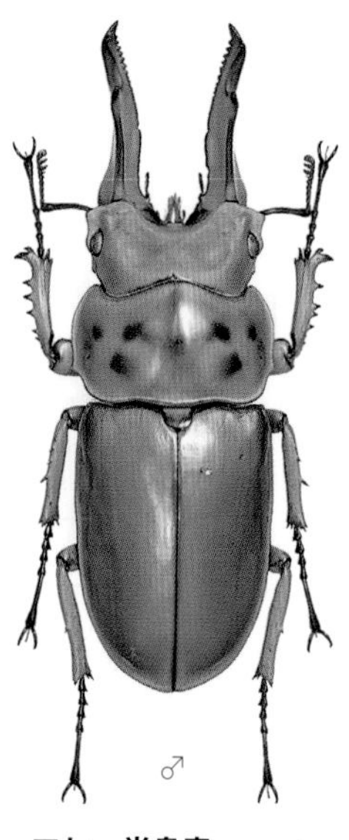

マレー半島産 *moseri*

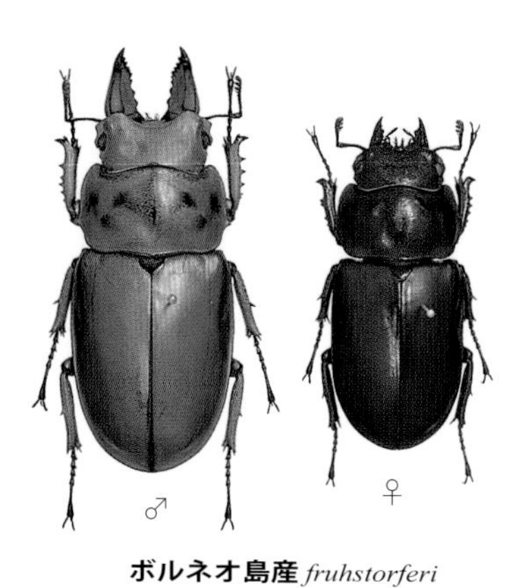

ボルネオ島産 *fruhstorferi*

スマトラ島産 *moellenkampi*

モーレンカンプオウゴンオニクワガタ
Allotopus moellenkampi
体長：♂34～80mm，♀34～50mm.
分布：マレー半島，インドネシア.

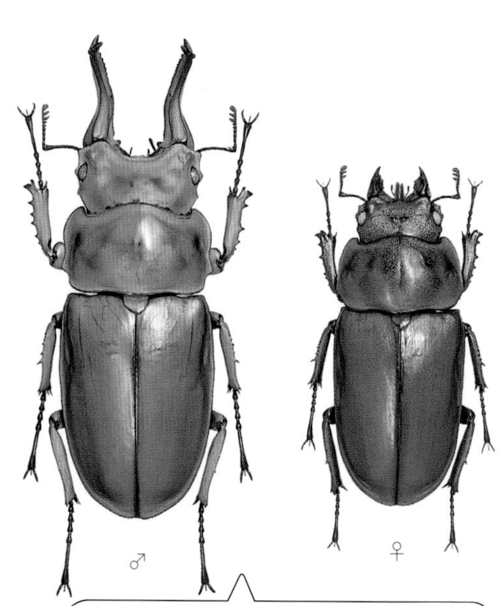

ローゼンベルグオウゴンオニクワガタ
Allotopus rosenbergii
体長：♂42～83mm，♀42～57mm.
分布：ジャワ島.

タランドゥスオオツヤクワガタ
Mesotopus tarandus
体長：♂45～93mm，♀39～58mm.
分布：アフリカ中～西部.

▶ノコギリクワガタの仲間

ノコギリクワガタの仲間は種類数が多く，日本には4種類がいるだけですが，東南アジアを中心に約170種類が知られています。「ノコギリクワガタ」の名前は，日本のノコギリクワガタの大あごの内側が「鋸」の歯のようになっていることから付けられました。

●世界最大のクワガタムシ

インドネシア・フローレス島のギラファノコギリクワガタ。
最大個体は12センチを超える世界最大のクワガタムシです。

ギラファノコギリクワガタ
Prosopocoilus giraffa
体長：♂35～121㎜，♀31～56㎜.
分布：インドシナ～インド，インドネシア，フィリピン.

●世界最小のクワガタムシ

マレー半島のヨンネッタイマダラクワガタ。オス・メスともに3ミリで，ギラファノコギリクワガタの複眼（目玉）くらいの大きさしかありません。

原寸大

ヨンネッタイマダラクワガタ
Echinoaesalus yongi
体長：♂3㎜，♀3㎜.
分布：マレー半島，ボルネオ.

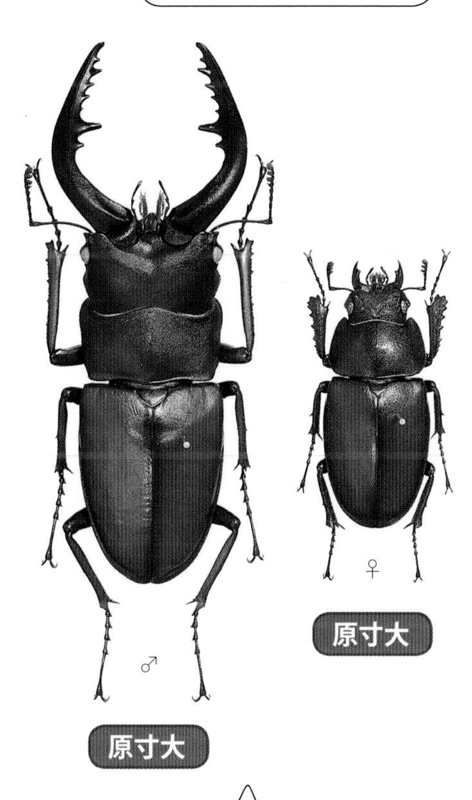

ノコギリクワガタ
Prosopocoilus inclinatus
体長：♂25～74㎜，♀24～41㎜.
分布：日本，朝鮮半島.

■ノコギリクワガタの仲間

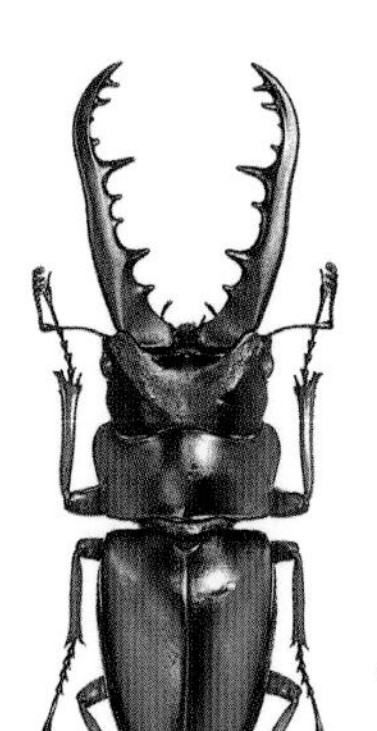

ウムハングノコギリクワガタ
Prosopocoilus umhangi
体長：♂28～70mm, ♀26～38mm.
分布：アフリカ東部.

サベッジノコギリクワガタ
Prosopocoilus savagei
体長：♂24～65mm, ♀21～30mm.
分布：アフリカ中部～東部.

ビソンノコギリクワガタ
Prosopocoilus bison
体長：♂27～81mm, ♀24～33mm.
分布：ニューギニア周辺.

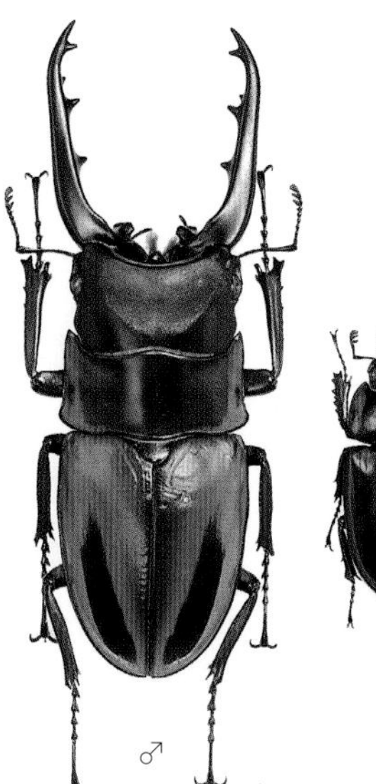

ハスタートノコギリクワガタ
Prosopocoilus hasterti
体長：♂39～69mm, ♀35～39mm.
分布：ソロモン諸島.

ファブリスノコギリクワガタ
Prosopocoilus fabricei
体長：♂31～86mm, ♀28～39mm.
分布：ペレン島, ハルマヘラ島.

ドゥースブルグノコギリクワガタ
Prosopocoilus doesburgi
体長：♂31～76mm, ♀24～29mm.
分布：スラウェシ島

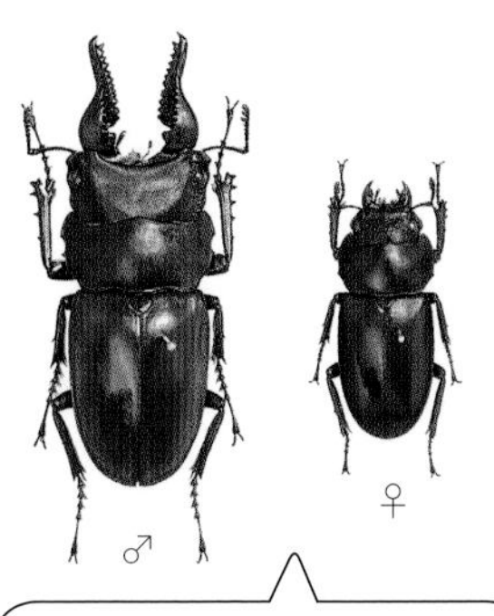

フォルケプスノコギリクワガタ
Prosopocoilus forceps
体長：♂23～50mm，♀22～30mm.
分布：マレー半島，インドネシア.

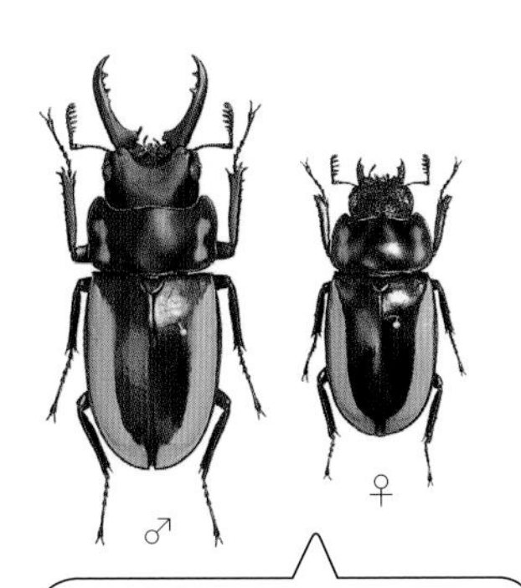

スペクタビリスノコギリクワガタ
Prosopocoilus spectabilis
体長：♂27～49mm，♀25～29mm.
分布：スマトラ島.

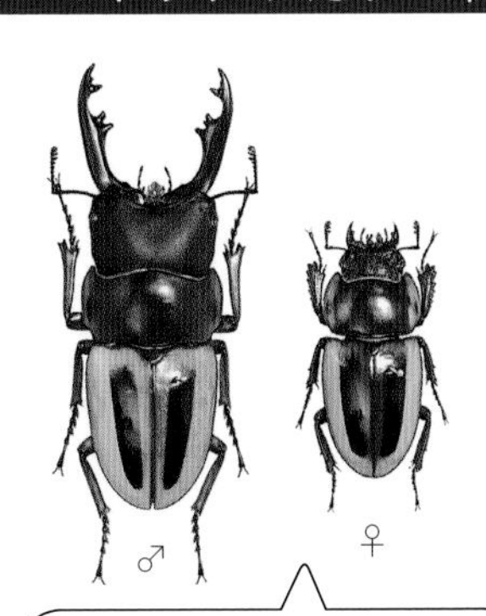

ラテラリスノコギリクワガタ
Prosopocoilus lateralis
体長：♂21～59mm，♀23～28mm.
分布：フィリピン，スラウェシ島.

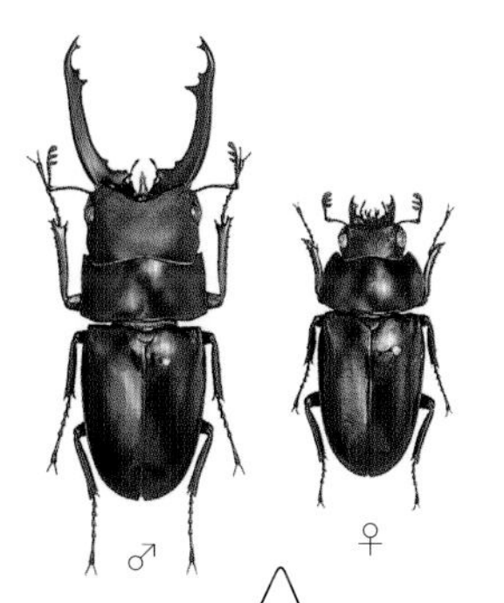

ブッダノコギリクワガタ
Prosopocoilus buddha
体長：♂21～69mm，♀20～29mm.
分布：中国，インドシナ~インド，インドネシア，フィリピン.

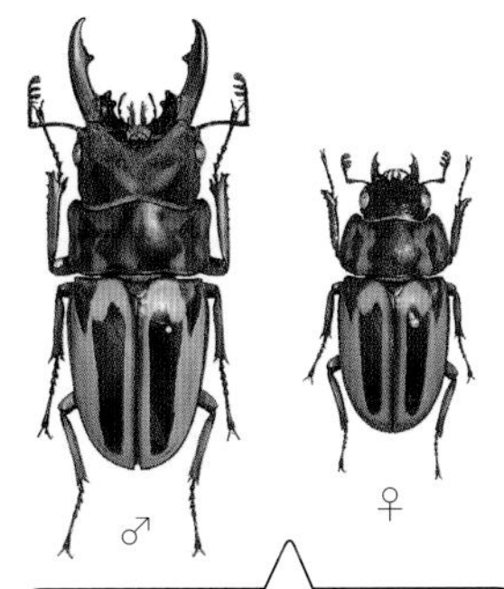

ゼブラノコギリクワガタ
Prosopocoilus zebra
体長：♂21～60mm，♀19～30mm.
分布：インドシナ，インドネシア，フィリピン.

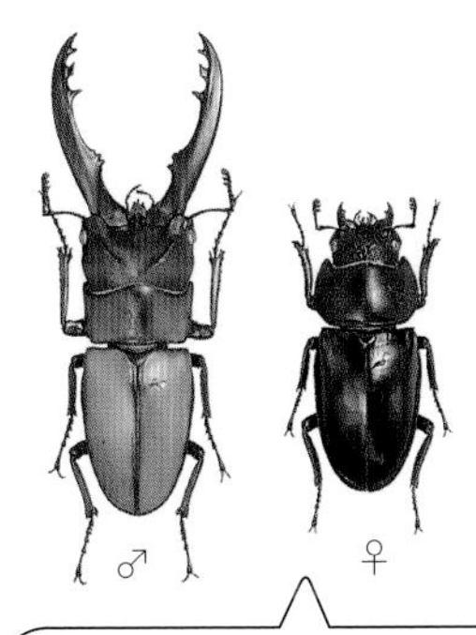

モーニッケノコギリクワガタ
Prosopocoilus mohnikei
体長：♂30～59mm，♀18～23mm.
分布：インドシナ，インドネシア，フィリピン.

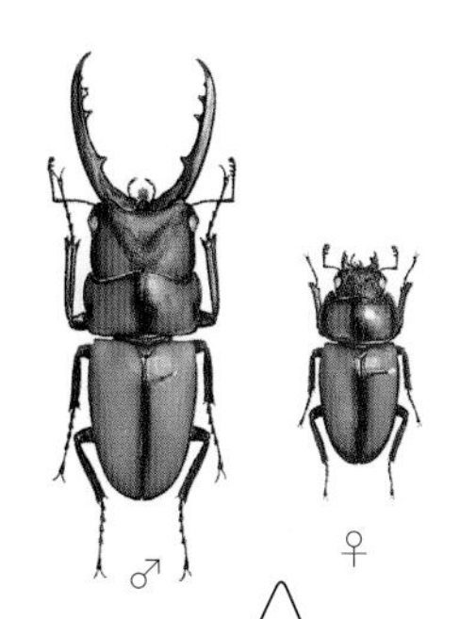

スツラリスノコギリクワガタ
Prosopocoilus suturalis
体長：♂24～47mm，♀18～20mm.
分布：インドシナ~インド.

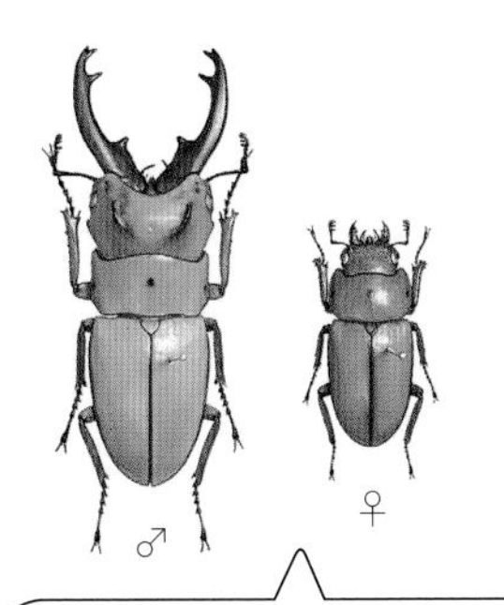

オキピタリスノコギリクワガタ
Prosopocoilus occipitalis
体長：♂21～57mm，♀17～26mm.
分布：マレー半島，インドネシア，フィリピン.

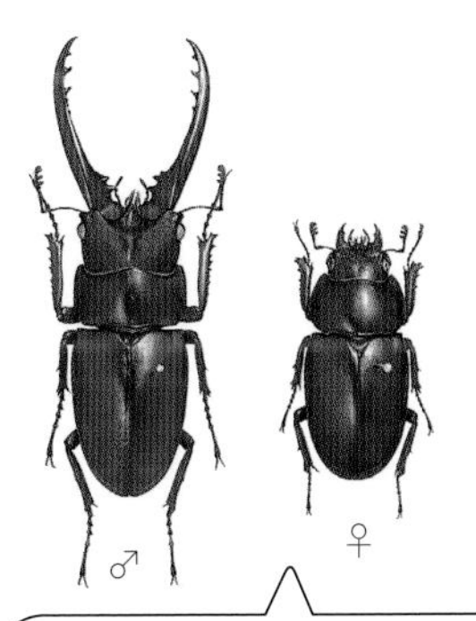

アスタコイデスノコギリクワガタ
Prosopocoilus astacoides
体長：♂26～90mm，♀24～33mm.
分布：台湾，中国，インドネシア~インド.

▶フタマタクワガタの仲間

フタマタクワガタの仲間は東南アジアに14種類が知られていて，大あごの先端が「二叉」に分かれている種類が多いことから，この名前が付けられました。マンディブラリスフタマタクワガタは最大の個体が11.8センチにもなり，世界で2番目に大きいクワガタムシです。

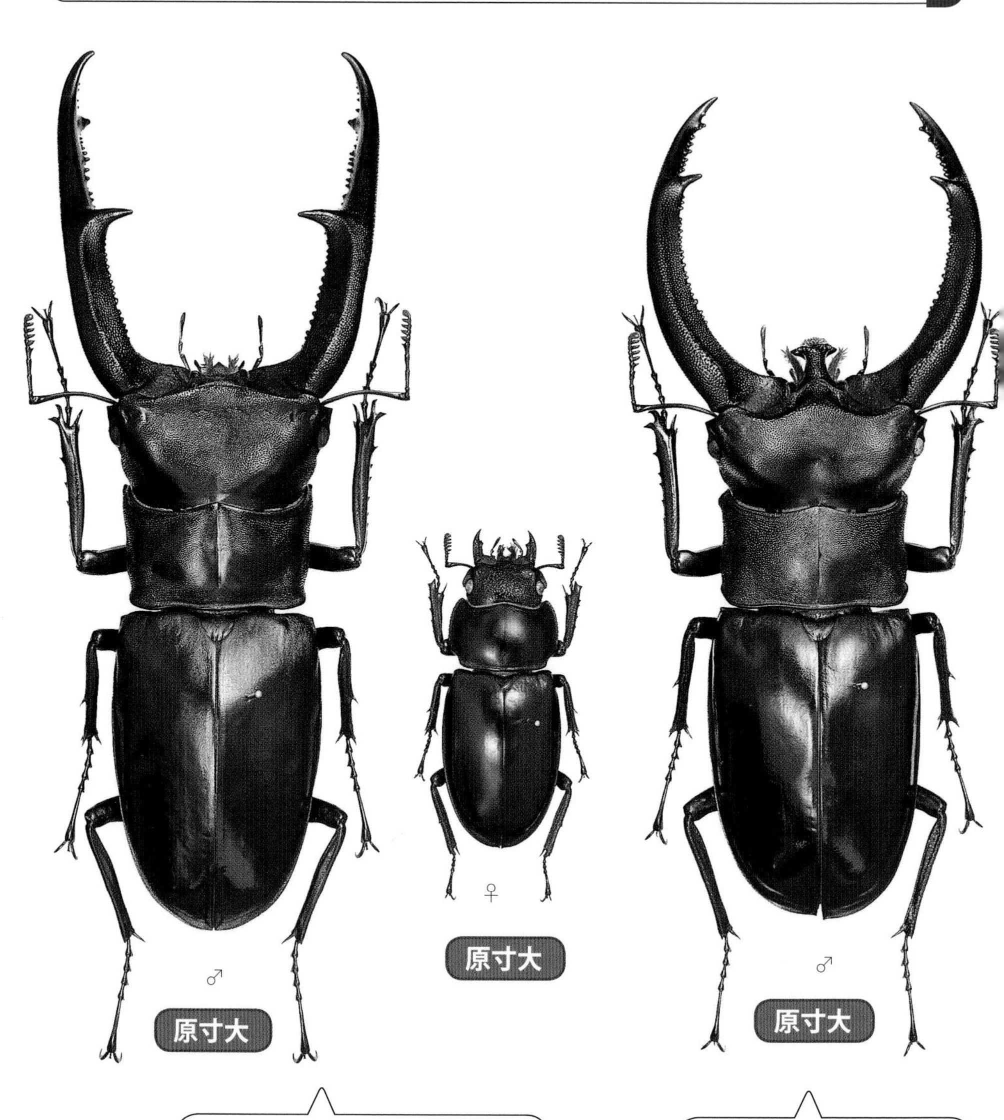

マンディブラリスフタマタクワガタ
Hexarthrius mandibularis
体長：♂48～118㎜，♀41～52㎜．
分布：スマトラ島，ボルネオ島．

リノケロスフタマタクワガタ
Hexarthrius rhinoceros
体長：♂56～109㎜，♀46～50㎜．
分布：スマトラ島，ジャワ島．

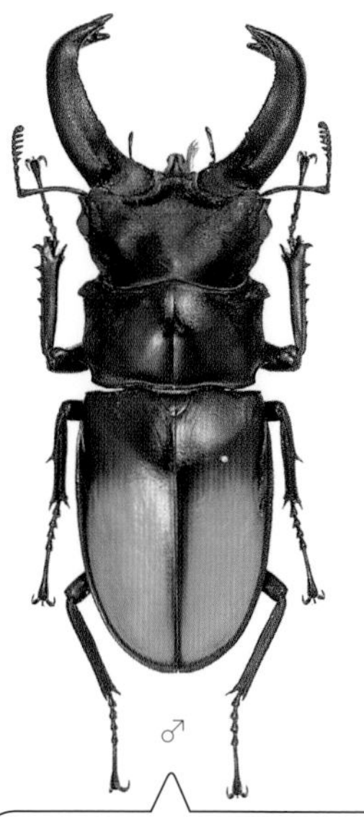

パリーフタマタクワガタ
Hexarthrius parryi
体長：♂48～94㎜, ♀40～51㎜.
分布：インドシナ～インド, インドネシア.

ブケットフタマタクワガタ
Hexarthrius buqueti
体長：♂41～88㎜, ♀37～42㎜.
分布：ジャワ島.

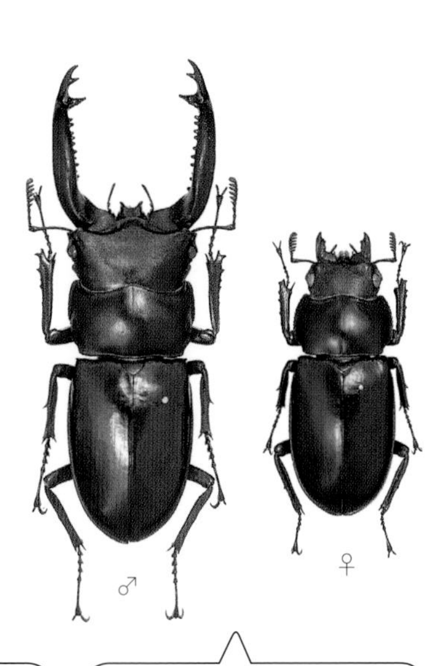

フォルスターフタマタクワガタ
Hexarthrius forsteri
体長：♂36～87㎜, ♀27～38㎜.
分布：ミャンマー～インド.

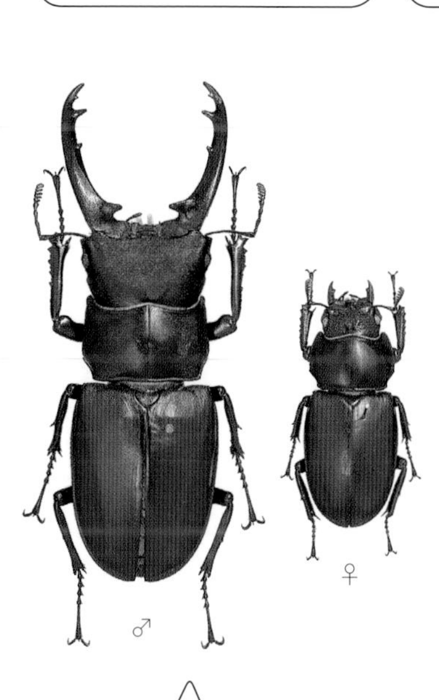

ダビソンフタマタクワガタ
Hexarthrius davisoni
体長：♂32～84㎜, ♀31～37㎜.
分布：インド.

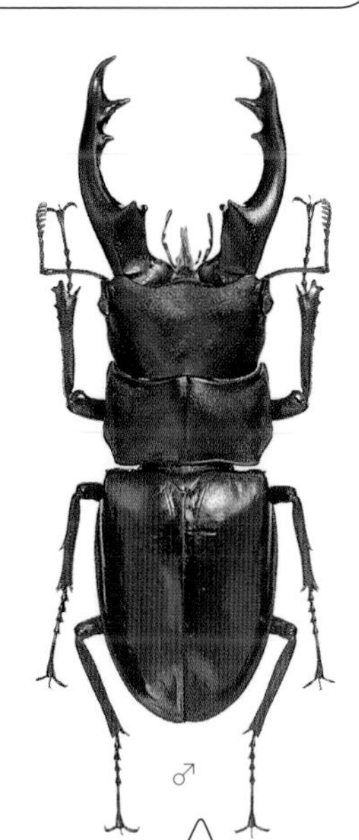

ボーリンフタマタクワガタ
Hexarthrius bowringi
体長：♂50～83㎜, ♀39㎜.
分布：ミャンマー～インド.

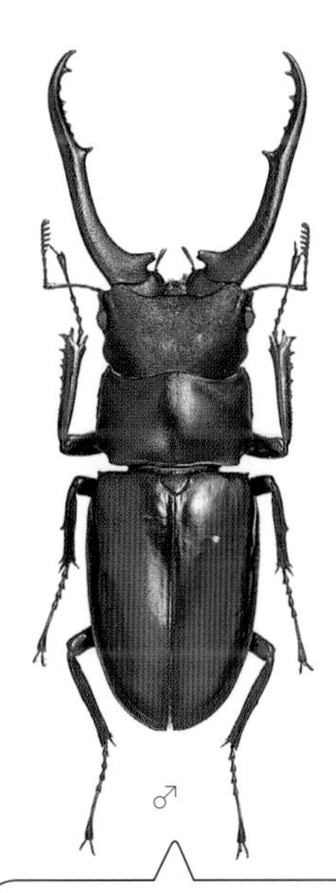

ビタリスフタマタクワガタ
Hexarthrius vitalisi
体長：♂33～91㎜, ♀31～43㎜.
分布：中国, インドシナ.

▶シカクワガタの仲間

シカクワガタの仲間は東南アジアに7種類が知られていて，オスは動物の「鹿」のような立派な大あごを持っています。

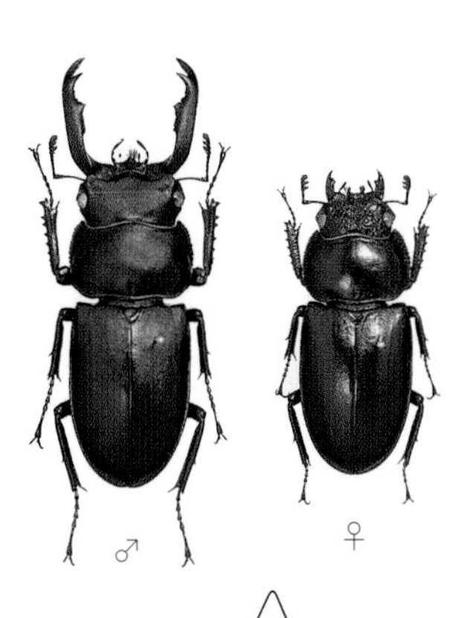

アマミシカクワガタ
Rhaetulus recticornis
体長：♂22～48㎜，♀19～30㎜.
分布：日本（奄美大島，徳之島）

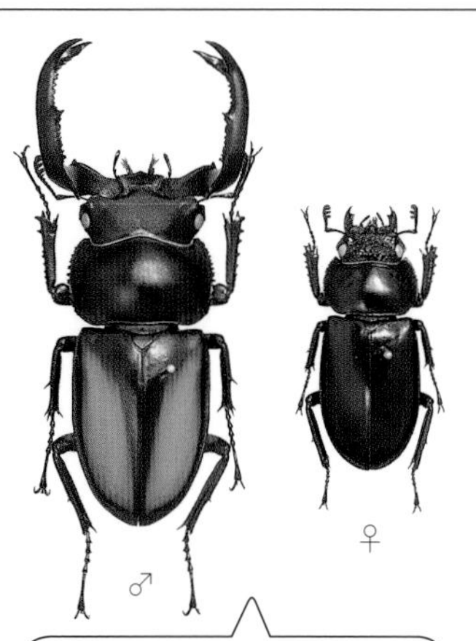

シカクワガタ
Rhaetulus crenatus
体長：♂20～72㎜，♀20～40㎜.
分布：台湾，中国，インドシナ～インド.

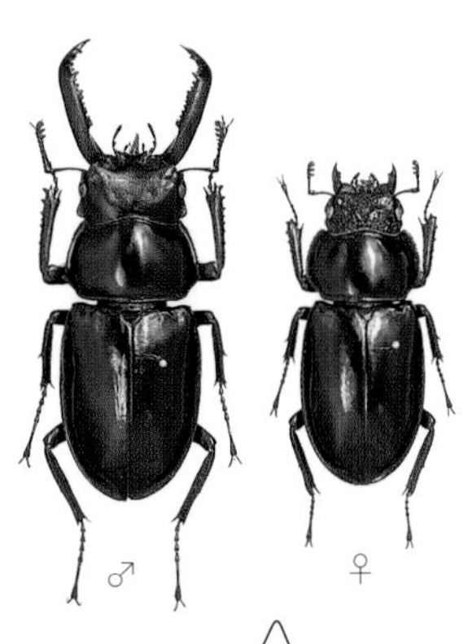

チュウゴクニセシカクワガタ
Pseudorhaetus sinicus
体長：♂25～64㎜，♀20～38㎜.
分布：台湾，中国.

ディディエールシカクワガタ
Rhaetulus didieri
体長：♂35～87㎜，♀34～36㎜.
分布：マレー半島.

オオシカクワガタ
Rhaetus westwoodi
体長：♂43～97㎜，♀40～51㎜.
分布：ミャンマー～インド.

ベトナムニセシカクワガタ
Pseudorhaetus perroti
体長：♂31～78㎜，♀33～43㎜.
分布：ベトナム.

▶キンイロクワガタの仲間

キンイロクワガタの仲間はオーストラリアを中心に12種類が知られていて，宝石のように美しいクワガタムシです。

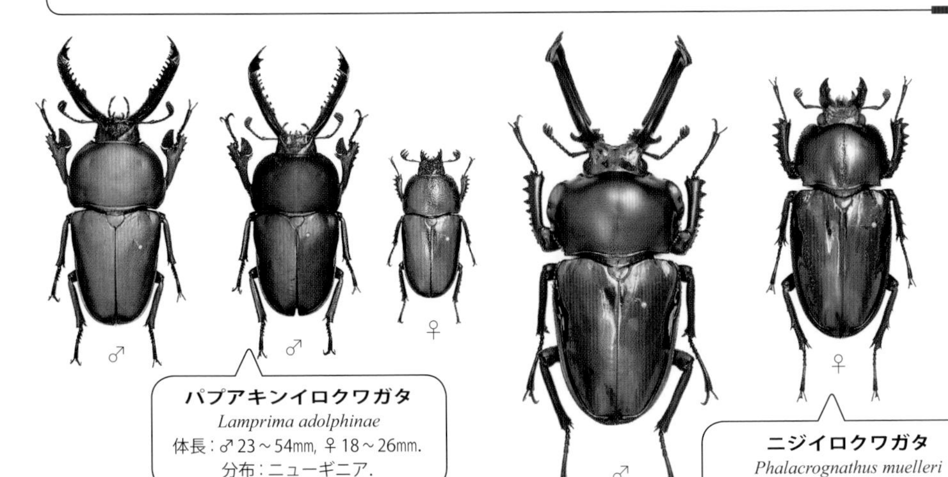

パプアキンイロクワガタ
Lamprima adolphinae
体長：♂23～54㎜，♀18～26㎜.
分布：ニューギニア.

ニジイロクワガタ
Phalacrognathus muelleri
体長：♂36～70㎜，♀26～36㎜.
分布：オーストラリア.

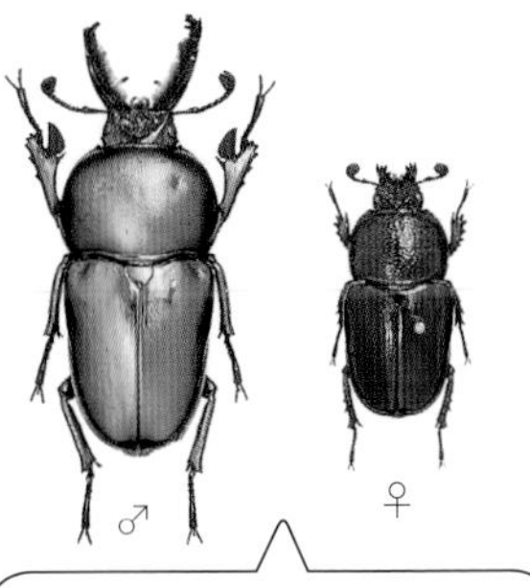

ラトレイユキンイロクワガタ
Lamprima latreilleii
体長：♂21～38㎜，♀12～24㎜.
分布：オーストラリア北東部.

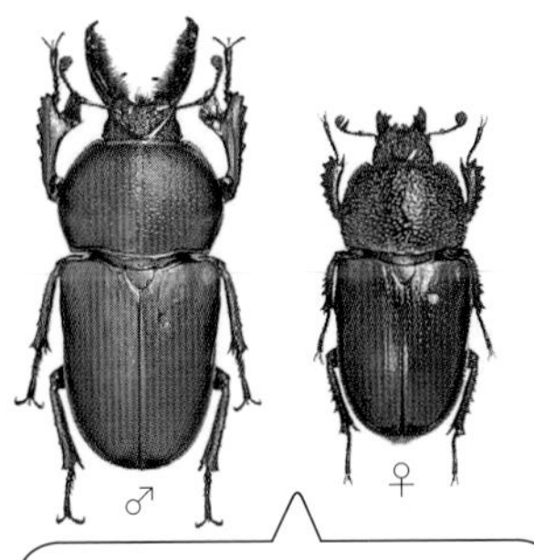

アウラタキンイロクワガタ
Lamprima aurata
体長：♂21～32㎜，♀13～24㎜.
分布：オーストラリア南部.

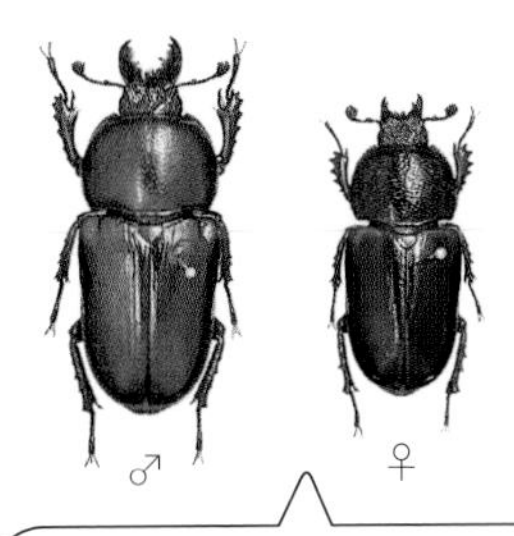

ミカルドキンイロクワガタ
Lamprima micardi
体長：♂19～26㎜，♀17～19㎜.
分布：オーストラリア南西部.

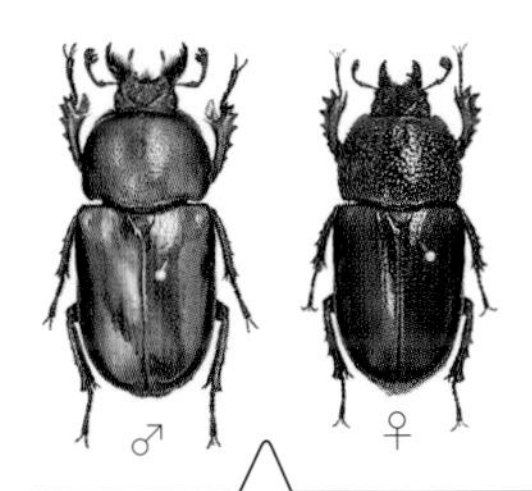

バリアンスキンイロクワガタ
Lamprima varians
体長：♂15～22㎜，♀20㎜.
分布：オーストラリア西部.

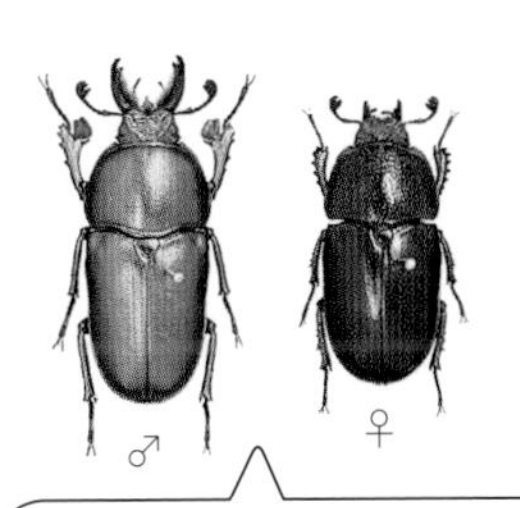

インスラリスキンイロクワガタ
Lamprima insularis
体長：♂22～32㎜，♀15～21㎜.
分布：オーストラリア（ロードハウ島）.

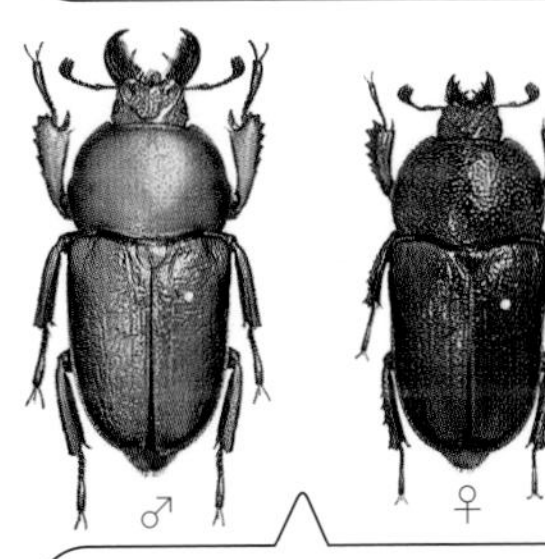

アエネアキンイロクワガタ
Lamprima aenea
体長：♂27～38㎜，♀24㎜.
分布：オーストラリア（ノーフォーク島）.

▶その他のクワガタムシ

アフリカや南米には，お面のような頭部のメンガタクワガタの仲間，大あごが体と同じくらいの長さもあるコガシラクワガタ，毛深い胸部や奇抜な色のシワバネクワガタの仲間など，変わったクワガタムシ達がいます。

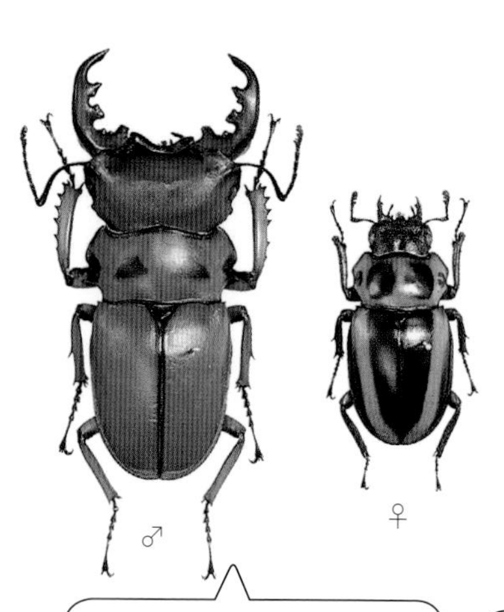

メンガタクワガタ
Homoderus mellyi
体長：♂26～55mm，♀20～31mm.
分布：アフリカ中~西部.

グラディアトール
メンガタクワガタ
Homoderus gladiator
体長：♂35～58mm，♀29～35mm.
分布：アフリカ中~東部.

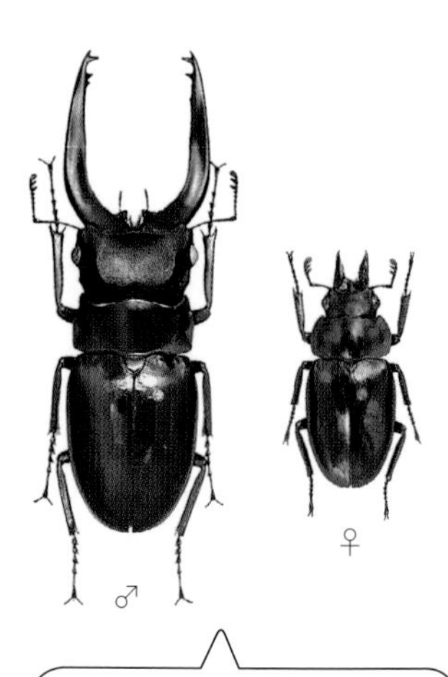

ヌエクワガタ
Katsuraius ikedaorum
体長：♂30～46mm，♀21～27mm.
分布：ベトナム.

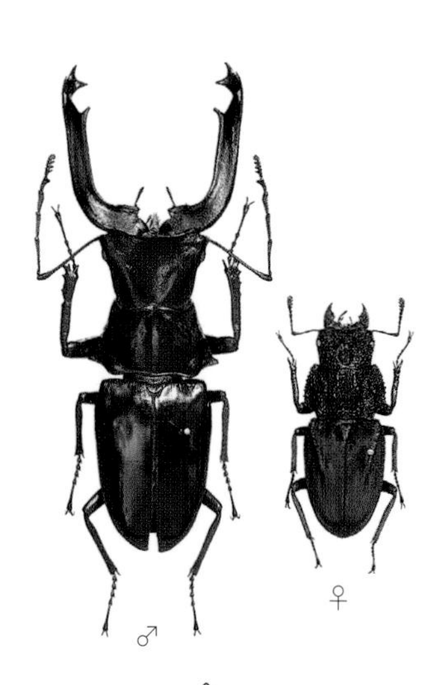

クビボソツヤクワガタ
Cantharolethrus luxeri
体長：♂27～60mm，♀24～30mm.
分布：コロンビア，パナマ.

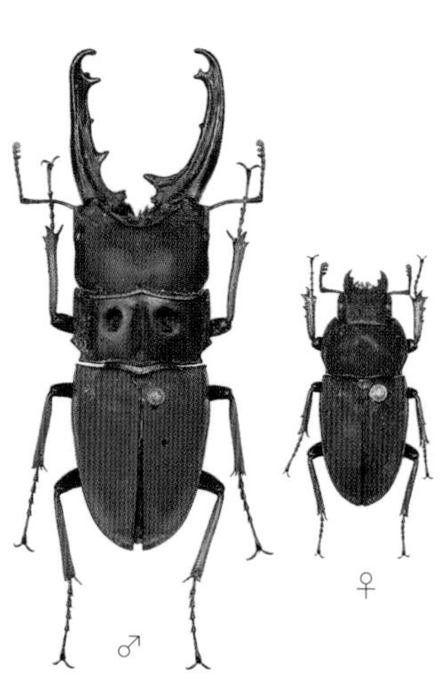

ティビアリスホソクワガタ
Leptinopterus tibialis
体長：♂14～37mm，♀15～18mm.
分布：ブラジル，パラグアイ，アルゼンチン.

フライホソクワガタ
Leptinopterus fryi
体長：♂32～46mm，♀21mm.
分布：ブラジル.

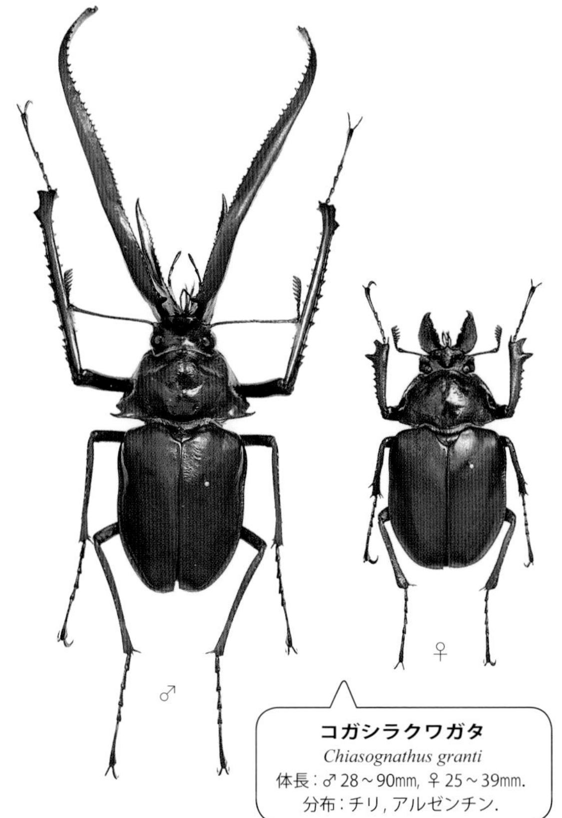

コガシラクワガタ
Chiasognathus granti
体長：♂28～90㎜, ♀25～39㎜.
分布：チリ, アルゼンチン.

フェイスタメルシワバネクワガタ
Sphaenognathus feisthameli
体長：♂46～76㎜, ♀42～50㎜.
分布：コロンビア~ペルー周辺.

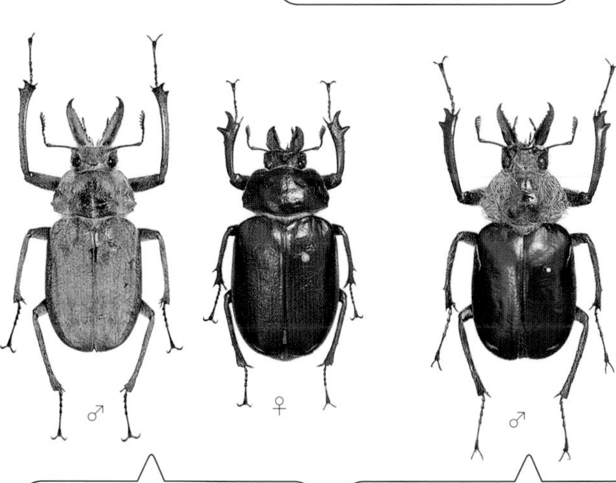

プベスケンスシワバネクワガタ
Sphaenognathus pubescens
体長：♂36～38㎜, ♀35㎜.
分布：ベネズエラ, コロンビア.

オベロンシワバネクワガタ
Sphaenognathus oberon
体長：♂32～39㎜, ♀34～36㎜.
分布：エクアドル.

ペルビアヌスシワバネクワガタ
Sphaenognathus peruvianus
体長：♂28～38㎜, ♀28～32㎜.
分布：エクアドル, ペルー.

▶小型のクワガタムシ

大きく，立派な大あごをもつクワガタムシは人目をひきますが，実は世界にはたくさんの種類数の小型のクワガタムシ達がいます。中には，オスでも大あごがごく小さく，外見ではクワガタムシとは思えないような種類も少なくありません。また，よく見ると美しい色や奇妙な形をした種類も多く，不思議な世界に惹き込まれてしまいそうです。ツメカクシクワガタは，シロアリ類の巣の中で生活するために特殊な形になったものと考えられています。

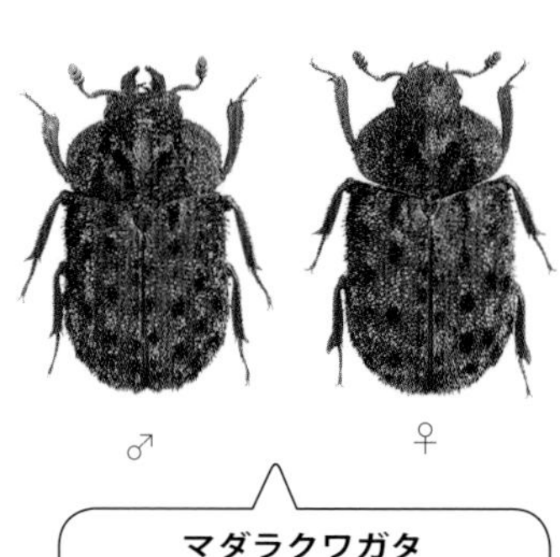

♂ ♀

マダラクワガタ
Aesalus asiaticus
体長：♂4～6mm, ♀4～6mm.
分布：日本.

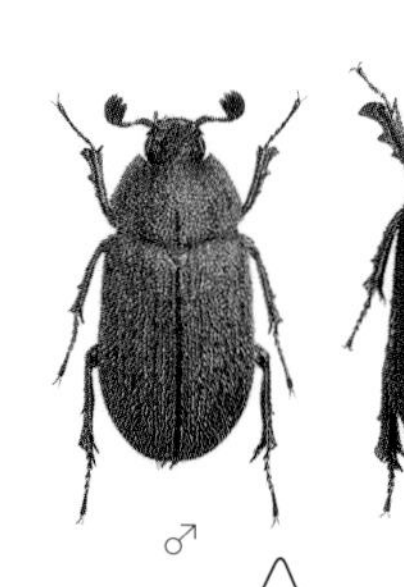

♂ ♀

マグソクワガタ
Nicagus japonicus
体長：♂7～8mm, ♀8～9mm.
分布：日本.

♂ ♀

クシヒゲマグソクワガタ
Mitophyllus irroratus
体長：♂9～13mm, ♀9～11mm.
分布：ニュージーランド.

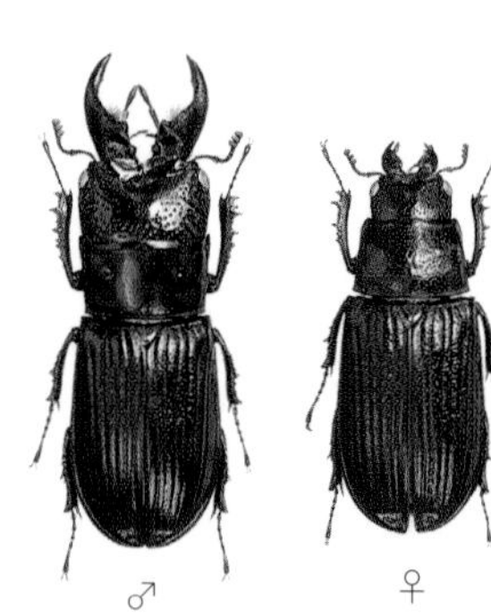

♂ ♀

ツヤハダクワガタ
Ceruchus lignarius
体長：♂12～23mm, ♀11～16mm.
分布：日本.

♂

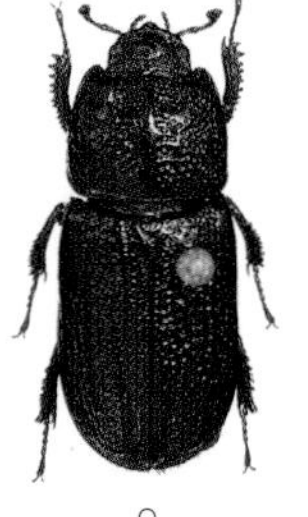

♀

イッカククワガタ
Sinodendron cylindricum
体長：♂12～13mm, ♀11～13mm.
分布：ヨーロッパ~シベリア.

♂

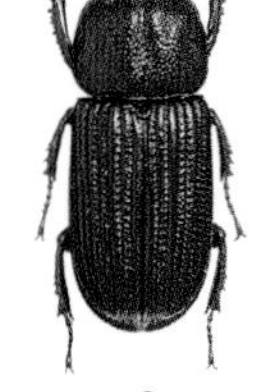

♀

ツツクワガタ
Syndesus cornutus
体長：♂9～15mm, ♀11～14mm.
分布：オーストラリア，タスマニア.

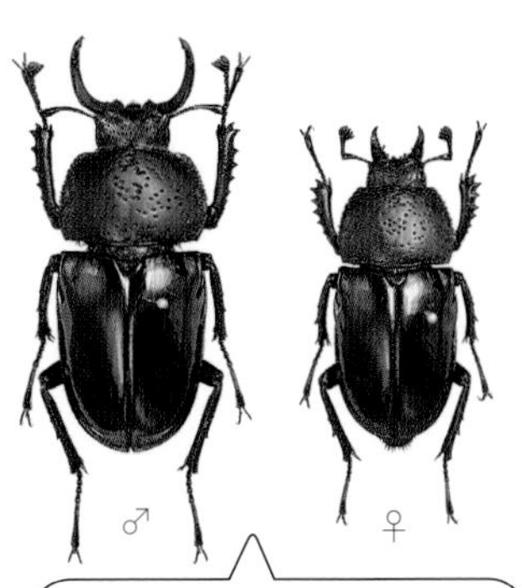

ドウイロクワガタ
Streptocerus speciosus
体長：♂23～32mm, ♀24～27mm.
分布：チリ, アルゼンチン.

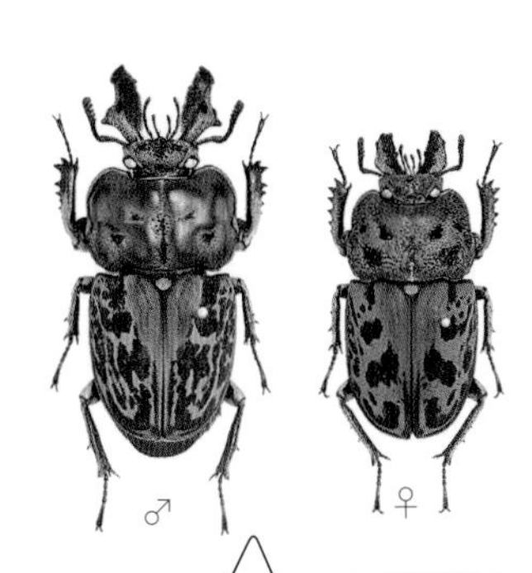

ムナコブクワガタ
Rhyssonotus nebulosus
体長：♂22～31mm, ♀21～24mm.
分布：オーストラリア.

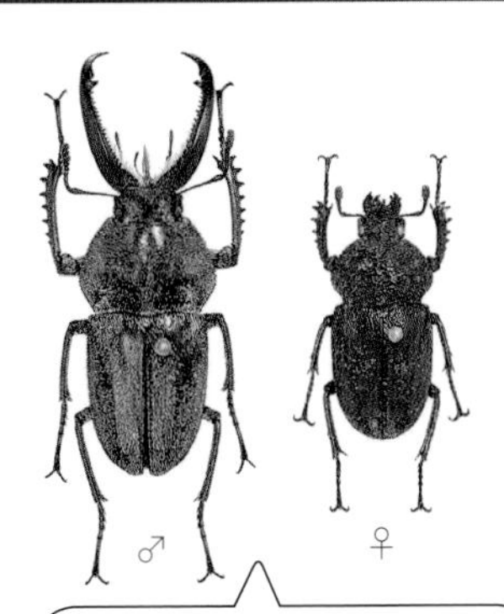

コフキクワガタ
Pholidontus humboldti
体長：♂16～33mm, ♀16～19mm.
分布：ブラジル.

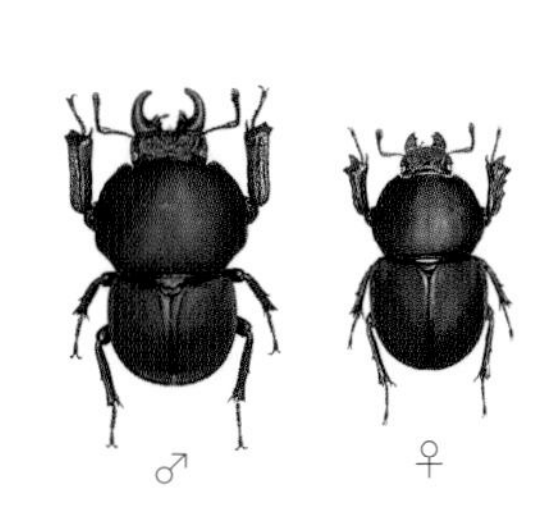

ネールマルガタクワガタ
Colophon neli
体長：♂14～20mm, ♀14～18mm.
分布：南アフリカ.

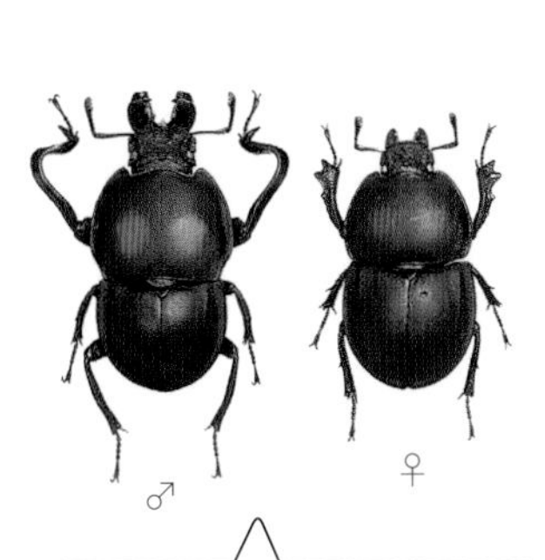

イザルドマルガタクワガタ
Colophon izardi
体長：♂17～25mm, ♀16～21mm.
分布：南アフリカ.

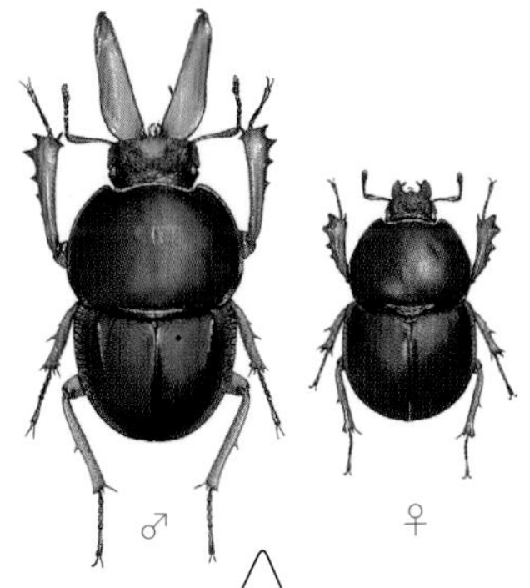

プリモスマルガタクワガタ
Colophon primosi
体長：♂22～35mm, ♀18～22mm.
分布：南アフリカ.

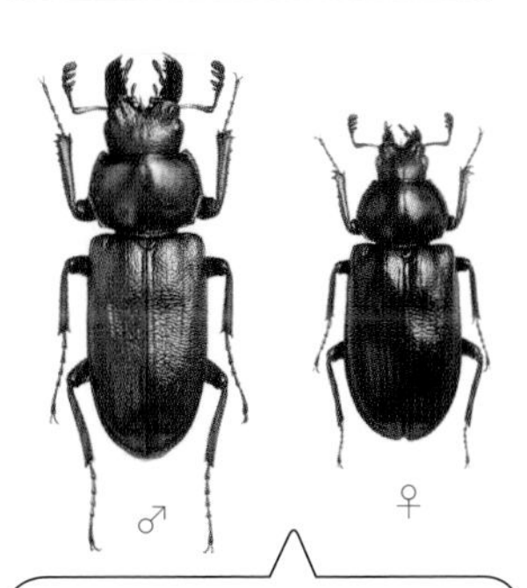

ルリクワガタ
Platycerus delicatulus
体長：♂9～14mm, ♀8～12mm.
分布：日本.

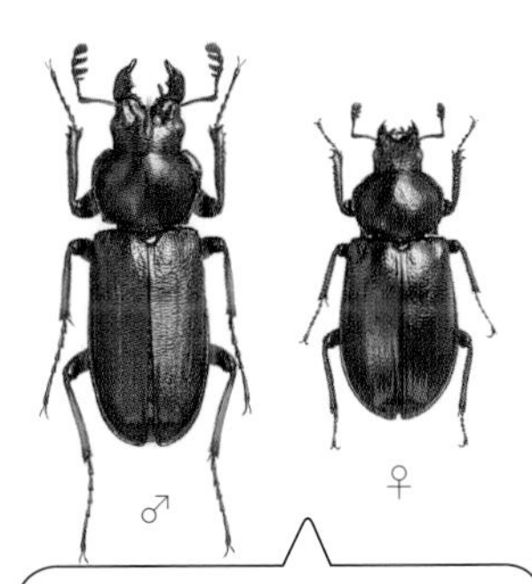

コルリクワガタ
Platycerus acuticollis
体長：♂8～14mm, ♀8～12mm.
分布：日本.

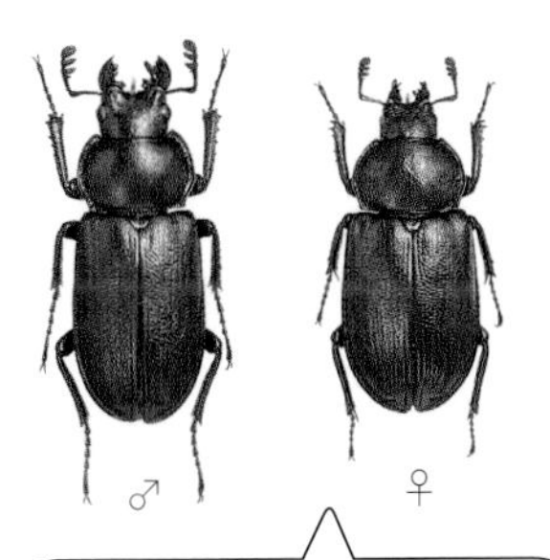

ヨーロッパコルリクワガタ
Platycerus caraboides
体長：♂10～13mm, ♀11～12mm.
分布：ヨーロッパ周辺.

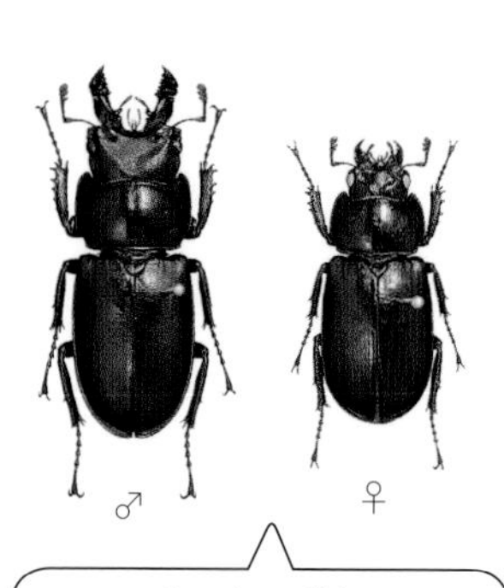

オニクワガタ
Prismognathus angularis
体長：♂15～26mm，♀15～23mm.
分布：日本，サハリン.

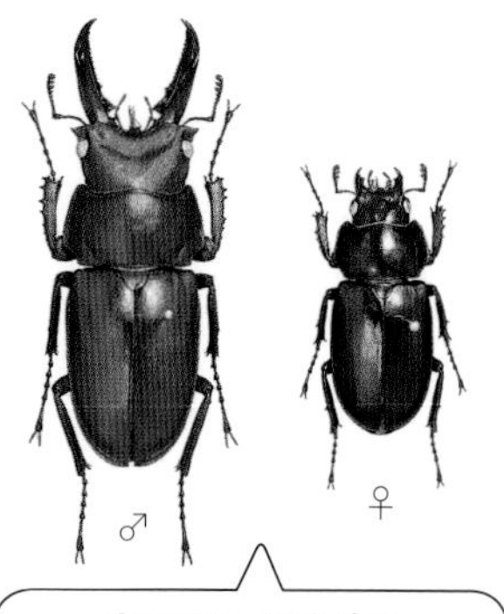

キンオニクワガタ
Prismognathus dauricus
体長：♂20～38mm，♀20～23mm.
分布：日本，朝鮮半島，中国，シベリア.

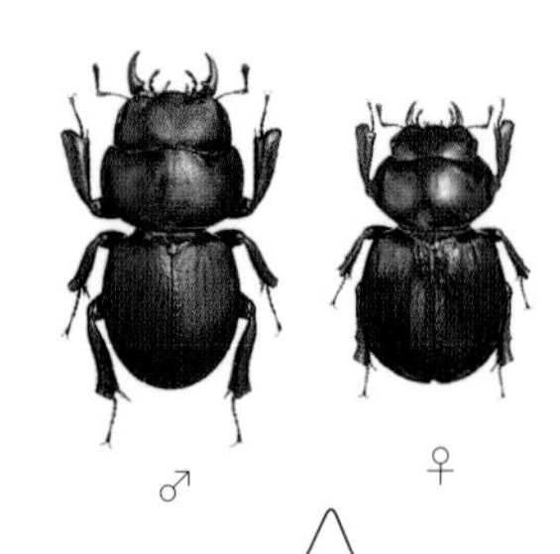

ハワイハネナシクワガタ
Apterocyclus honoluluensis
体長：♂14～22mm，♀13～19mm.
分布：ハワイ.

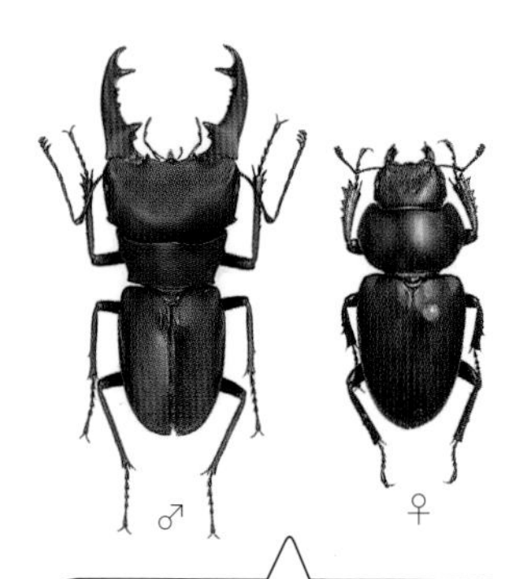

アウストラリスオオズクワガタ
Macrocrates australis
体長：♂23～33mm，♀20～22mm.
分布：ブラジル.

ソーラアラスジクワガタ
Aegognathus soulai
体長：♂17～24mm，♀15mm.
分布：ペルー.

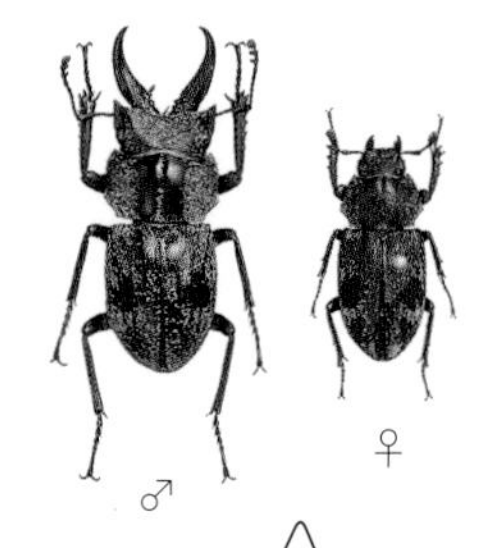

ムルティコロールエンマクワガタ
Auxicerus multicolor
体長：♂9～19mm，♀9～11mm.
分布：ボリビア.

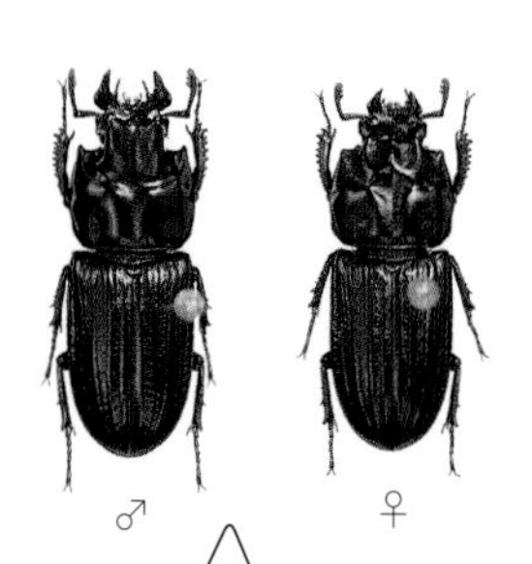

ビコロールオニツツクワガタ
Xiphodontus bicolor
体長：♂9～14mm，♀13～14mm.
分布：ケニア.

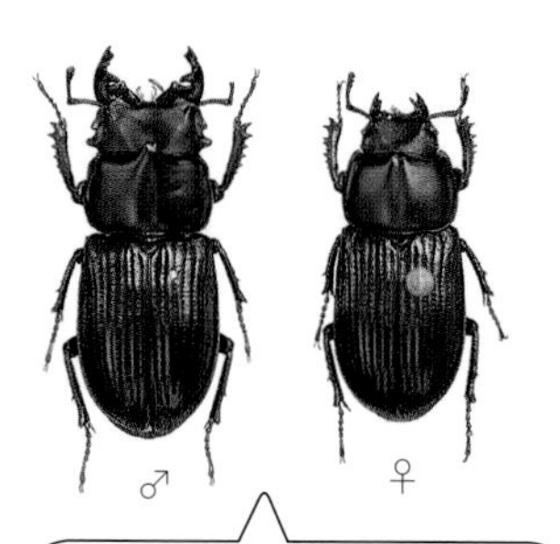

バックレイヒラタムネツノクワガタ
Metadorcinus buckleyi
体長：♂12～16mm，♀13mm.
分布：エクアドル.

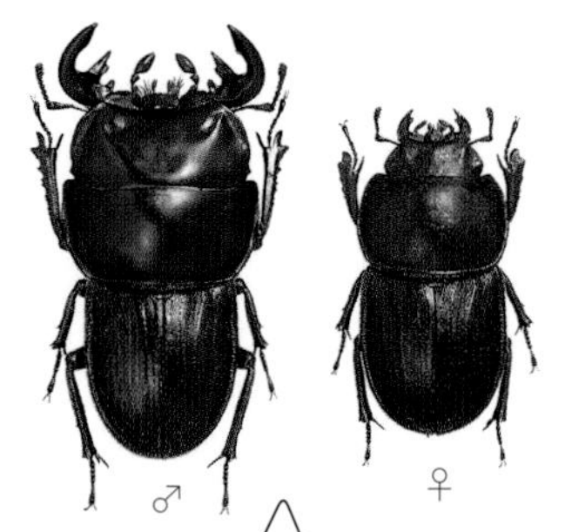

ヘルムスオオズコツノクワガタ
Geodorcus helmsi
体長：♂18～45mm，♀16～30mm.
分布：ニュージーランド.

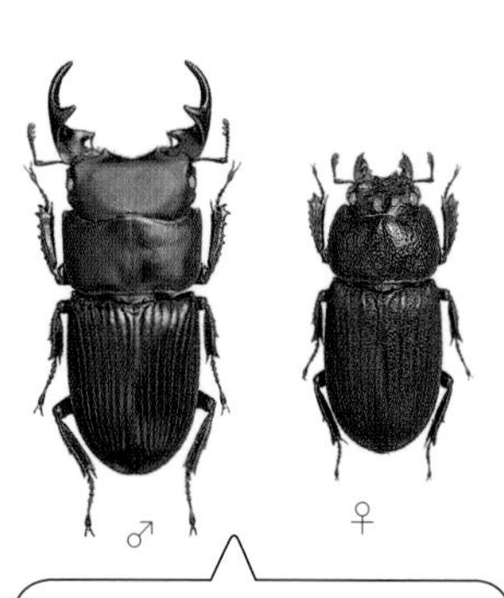

♂ ♀

ネブトクワガタ
Aegus subnitidus
体長：♂12～36mm, ♀12～27mm.
分布：日本.

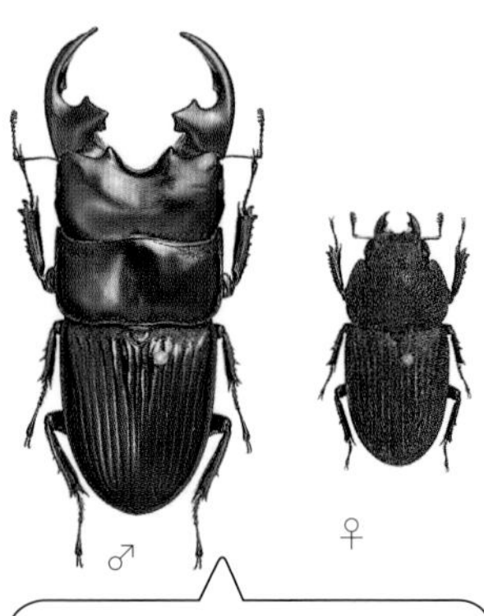

♂ ♀

プラティオドンネブトクワガタ
Aegus platyodon
体長：♂17～54mm, ♀15～27mm.
分布：ニューギニア周辺.

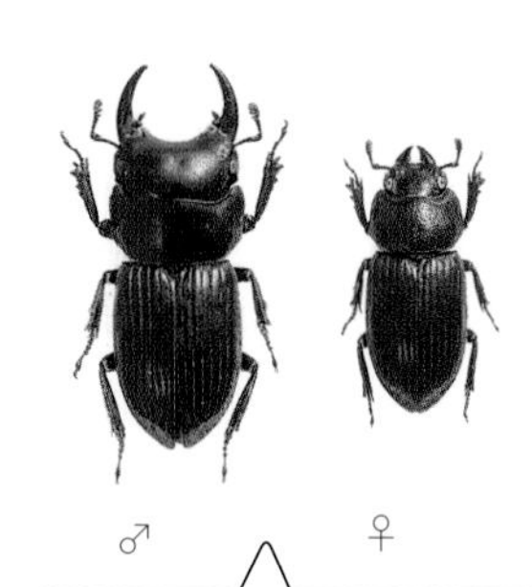

♂ ♀

ピグマエウスネブトクワガタ
Aegus pygmaeus
体長：♂7～10mm, ♀7～8mm.
分布：ボルネオ島.

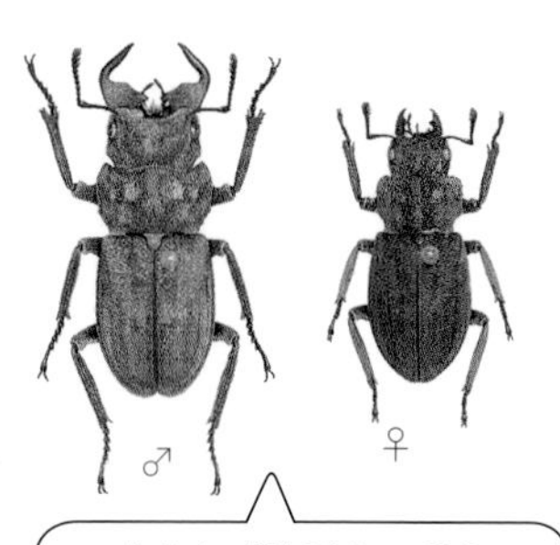

♂ ♀

オオキバサビクワガタ
Eulepidius luridus
体長：♂13～23mm, ♀13～17mm.
分布：マレー半島, スマトラ島, ボルネオ島.

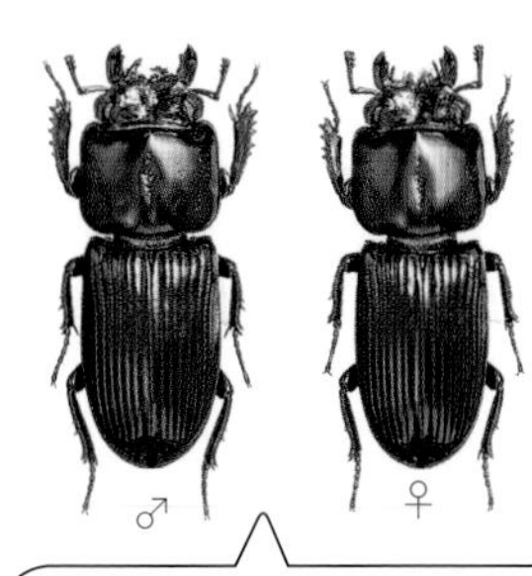

♂ ♀

チビクワガタ
Figulus binodulus
体長：♂9～16mm, ♀9～16mm.
分布：日本, 朝鮮半島, 台湾, 中国.

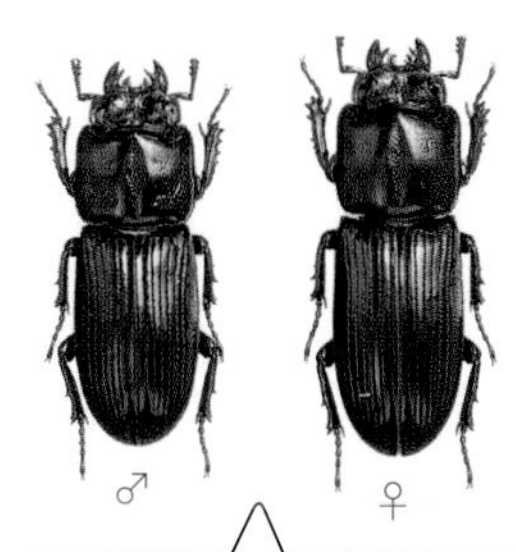

♂ ♀

マメクワガタ
Figulus punctatus
体長：♂8～12mm, ♀8～12mm.
分布：日本, 朝鮮半島, 台湾.

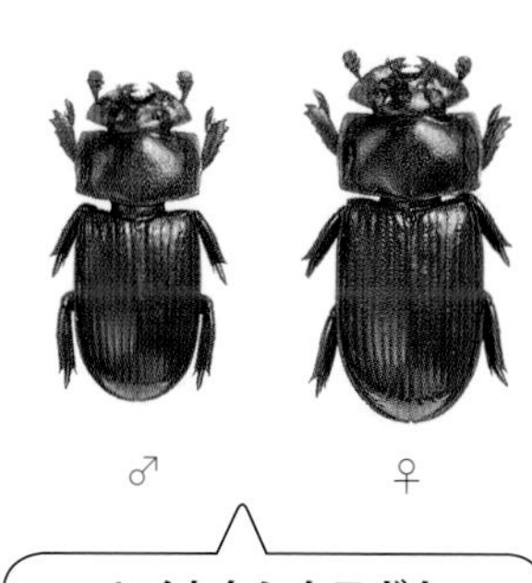

♂ ♀

ツメカクシクワガタ
Penichrolucanus copricephalus
体長：♂4mm, ♀6～7mm.
分布：マレー半島, ボルネオ島.

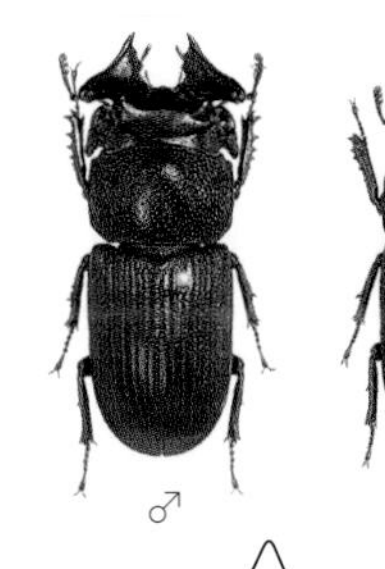

♂ ♀

シシガシラツノヒョウタンクワガタ
Dinonigidius ahenobarbus
体長：♂18～20mm, ♀16mm.
分布：スリランカ.

♂

♀

ルイスツノヒョウタンクワガタ
Nigidius lewisi
体長：♂12～18mm, ♀12～18mm.
分布：日本, 台湾.

執筆　土屋利行
発行人　藤田　宏
発行日　2020年8月20日
発行所　有限会社 むし社　165-0034 東京都中野区大和町 1-4-2-302　URL: http://mushi-sha.life.coocan.jp/
印刷　シナノ株式会社